CONFIDENTIEL

DU SABLE!...

COLLECTION ARTISTIQUE « L'AFRIQUE » ○○○
295 - Danses d'Ouleds Naïls

A ffectueuses
pensées de
Papa à son
Hugues - Bravo
encora pour la
place de 4 ᵉ⁻⁻
Continues et
peu et eus !

Papa

السلام عليكم

KSOB

CARRA

CHEF DOMI

S.O. VENIR LÉGION

OUED SOUDA

2ᵉ REP   3ᵉ Cᵢₑ

Théorie ô belle théorie

embeuses et relativer
, solution technique pr
de ces subordonnés et de
Fayol ont retenue ce
de des propositions va
par des personnes differen
reunies de l'organisa
territoriale" le "wa

le rencontre de Radio d'ell... Si be the... et le finition d'officier d'e...
et ...

s le
... tech
... le

... chef
mème
... commu
ments par un b   ... repren
mais par des res...   e se ul
relatif à une fin...   que res
Dans ces contra...   ... centro
et de decentralisation correspondent bien à des apperation ... les

Lavapellile?   vien fou chiasse   chiasse -   meurt 2 fois. eau ?

Sir Harold Scott. Scotland Yard - p.88 jeunesse délinquante

PIEGE LOURD E

_ nommé ...MINET........Bernard............en traitement
Établissement est autorisé à s'absenter, sans pré-
pour sa santé sous son entière responsabilité, le
5. NOV 1956   de   10h30   à   18   heures

:

ECTEUR

: Au c
, la s
.

épaté
Mal
de f
Bataillon infanterie
loniale (Bic.)
accéd
/ qui
ur d
dem
nterdi
rd d
alte
che
du
au cen
rérêts bleus sur la plage à 4 h00 de mercredi
Nov au 18 Décembre 56 - Affilé au Mess des

ÈLE N°
276, 2?
546, et
ment.

BULLE

cution de l'article (1)

DE S

L'HO

DE

DÉSIG

GRADE:

3

Bernard

SOMMAIRE

Ouverture
La vie quotidienne des appelés pendant la guerre d'Algérie.

10
Chapitre 1
LA « GÉNÉRATION DU DJEBEL »
L'immense majorité des jeunes appelés français
nés entre 1932 et 1943 a franchi la Méditerranée à partir de 1955.

28
Chapitre 2
L'AVENTURE OBLIGÉE
Quatre cent mille soldats stationnent en permanence sur le sol algérien :
appelés, rappelés, harkis, militaires de métier dont « paras », légionnaires
et détachements des SAS.

46
Chapitre 3
UNE GUERRE SANS FRONT
À partir de 1956 et l'envoi massif du contingent en Algérie, le mot « guerre »
recouvre une réalité effective : une guerre sans front contre un ennemi invisible,
une guerre civile aussi entre adversaires et partisans de l'Algérie française.

70
Chapitre 4
JOURS ORDINAIRES
Deux millions de soldats ont connu les opérations de « pacification », les
quadrillages, l'attente la nuit en haut d'un piton, la mort atroce d'un camarade...
Ils ont aussi découvert un pays magnifique et le scandale du tiers monde.

88
Chapitre 5
LA MÉMOIRE ET L'OUBLI
Rentrés en métropole dans l'indifférence ou le mépris d'une société
qui voulait l'oubli, les appelés d'Algérie, pour la plupart, se sont tus,
gardant pour eux leurs souffrances et leurs souvenirs.
Aujourd'hui, la mémoire commence à se libérer.

97
Témoignages et documents

APPELÉS
EN GUERRE D'ALGÉRIE

Benjamin Stora

DÉCOUVERTES GALLIMARD
HISTOIRE

«Les soldats du contingent se découvrirent les seuls responsables de cette putain de guerre. Les rares de 14-18, les nombreux de 39-45 étaient rentrés glorieux. Même les Américains avec le Viêt-nam avaient su tirer leur épingle du jeu. Ils avaient eu 48 000 types au tapis. Tous les jours des Rambos de pacotille envahissaient les petits écrans pour glorifier les GI. Les Français avaient eu presque autant de morts en Algérie et on continuait à faire croire que c'était une promenade de santé.»

François Joly, *L'Homme au mégot*

CHAPITRE PREMIER
LA «GÉNÉRATION DU DJEBEL»

Les associations d'anciens combattants en Algérie militent pour que les sacrifices des soldats soient reconnus (affiche commémorative de la FNACA, ci-contre).

Leur revendication est en partie satisfaite. Le 5 décembre 2002, à Paris, Jacques Chirac a inauguré un «mémorial national» à la mémoire des soldats français morts en Algérie.

19 MARS 62 — 19 MARS 97
35e Anniversaire du CESSEZ-LE-FEU EN ALGÉRIE

CÉRÉMONIE DU SOUVENIR
À LA MÉMOIRE DES 30 000 MORTS
DE LA GUERRE EN ALGÉRIE AU MAROC ET EN TUNISIE
ET DES VICTIMES CIVILES

Mémoires des «hommes du djebel»

Qu'y a-t-il de commun entre
Jacques Chirac et Pierre Joxe, entre
Philippe Labro et Gilles Perrault,
entre Claude Lelouch et Philippe
de Broca, entre Jacques Anquetil
et Raymond Poulidor, entre Serge
Lama et Eddy Mitchell, ou entre
Cabu et Wolinski ? Tous ont fait,
connu, une guerre, celle d'Algérie.
Avec d'autres, des centaines
de milliers d'autres, anonymes.

En 1986, le ministre de la Défense précise que le nombre d'appelés ayant servi en Afrique du Nord (AFN), de 1952 à 1962, a été de 1 101 580 en Algérie, 121 257 en Tunisie et 120 163 au Maroc. Mais les associations d'anciens combattants d'AFN récusent ces chiffres, évoquant 2,5 millions d'appelés pour la même période. La polémique n'est pas close.

Avant de partir, on leur avait dit : «L'Algérie, c'est la France, trois départements français. Il s'agit simplement de rétablir l'ordre menacé par quelques rebelles, et la sécurité de l'Etat.» Quelques-uns ont en tête le slogan, martelé, de l'époque : «La Méditerranée traverse la France, comme la Seine traverse Paris.» Mais bien peu connaissent l'Algérie.

Après une traversée pénible en bateau, ils ont vu que ce discours ne correspondait pas tout à fait à la réalité. Ils ont certes découvert un pays magnifique, et beaucoup sont tombés amoureux de ses paysages; mais ils ont vu aussi la misère des paysans algériens musulmans, les bidonvilles à la périphérie des grandes agglomérations; ils ont mesuré la béance du fossé entre Européens d'Algérie

Les jeunes appelés aimaient se photographier (témoins ces images noir et blanc sur papier glacé à bord cranté). Regarder ses photos souvenirs, c'est faire surgir ce territoire de mémoire recouvert par l'Histoire.

et Algériens musulmans; ils ont compris que ces
«événements» qui secouaient un pays différent
de la France étaient une guerre. Avec les embuscades,
les quadrillages, l'attente la nuit en haut d'un piton,
la mort atroce d'un de leurs camarades.

Ces fantassins d'une «guerre sans nom» sont restés
longtemps en Algérie : dix-huit, vingt-sept ou trente
mois... Dans les djebels ou dans les villes; surveillant
les fermes ou postés derrière les barbelés des rues
dans les petites et grandes agglomérations.

La parole confisquée

Et puis, ils sont rentrés en métropole. Dans
l'indifférence au mieux, dans le mépris au pire.
Alors, la plupart se sont tus. L'immédiat après-1962,
l'indépendance de l'Algérie n'ont pas produit
le gigantesque étalage de souvenirs belliqueux qui,
par tradition, suit les conflits en France, et
transforme, à la longue, l'«épopée guerrière»
en radotage insupportable.

Ceux qui avaient passé la mer Méditerranée
en uniforme, dans les cales et sur les ponts bondés du
Ville-d'Alger ou du *Ville-d'Oran*, de ces longs mois
d'une jeunesse réquisitionnée par la République,
n'avaient-ils donc rien à dire, à délivrer?

❝La carte dépliée,
il essaya de se faire
une idée du pays.
De la France à l'Algérie
il y avait une grande
étendue de mer bleue.
L'Algérie était blanche.
Un réseau assez dense
de routes, voies ferrées,
s'étendait le long des
côtes. De rares routes
ou pistes s'allongeaient
vers l'intérieur.❞

Pierre Bourgeade,
Les Serpents

Mai 1968 est venu très vite, a recouvert une parole possible des «hommes du djebel». L'époque était alors au durcissement idéologique, et l'incompréhension des jeunes, dans ce moment de remise en cause, très forte à l'égard des hommes envoyés en Algérie. Dans les années 1975-1980, la mémoire des soldats d'Algérie est revenue lentement, doucement, par les écrits autobiographiques; puis bruyamment, dans les années 1990, avec les manifestations pour la défense de leurs droits et l'égalité de traitement avec les combattants des conflits précédents.

Entre 1954 et 1962, ils furent près de deux millions en Algérie, combattants d'une guerre qui ne voulait pas s'avouer. Voici leur histoire, celle des anonymes, des sans-grade.

En avril 1994, venus de toutes les régions de France à l'appel de leurs cinq organisations représentatives (FNACA, ARAC, FNCPG, UF, UNC-AFN), plusieurs dizaines de milliers d'anciens combattants d'Afrique du Nord défilent dans les rues de Paris pour réclamer «le droit à la retraite anticipée», «l'égalité des droits de tous les anciens combattants». L'octroi de retraites anticipées est jugé trop coûteux par l'Etat… La bataille des anciens d'Algérie n'est pas finie.

LES ANCIENS COMBATTANTS EXIGENT LE RESPECT DE LEURS DROITS

Les «événements» du 1er novembre 1954

C'est une guerre à ses frontières, «légèrement» hors de son territoire, que la France livre en Algérie. Séparée seulement par la Méditerranée, «l'Algérie, c'est la France», selon le mot fameux de François Mitterrand, alors ministre de l'Intérieur dans le gouvernement de Pierre Mendès France, en novembre 1954.

La France est présente en Algérie depuis 1830. Presque un siècle et demi déjà. Et l'Algérie forme trois départements dans une «France une et indivisible». Près d'un million d'Européens y vivent. Il apparaît alors impensable de se séparer d'un territoire rattaché à la France avant la Savoie (1860), où l'on vient de découvrir du pétrole. La classe politique française est unanime : pas question d'«abandon», comme au Maroc, en Tunisie ou... en Indochine.

La guerre d'Indochine (1946-1954) avait été lointaine, aux accents douloureux, mais estompée par son éloignement. Pourtant, le désastre militaire de Diên Biên Phu, le 7 mai 1954, a accéléré la crise et la décomposition de l'empire colonial français. La Tunisie et le Maroc «s'agitent» : ils obtiendront bientôt leur indépendance.

Mais l'Algérie? Des coups de feu éclatent dans les Aurès, à Khenchela ou Arris, le 1er novembre 1954. La nature de ces «événements» est mal perçue en métropole. Le ministre de l'Intérieur met à la disposition du gouvernement général de l'Algérie trois compagnies de CRS, soit 600 hommes, qui quittent Paris en début d'après-midi.

Un premier bataillon de parachutistes fait mouvement sous le commandement du colonel Ducourneau. Trois autres suivront. En ce mois de novembre 1954, personne ne pense sérieusement que la France est entrée en guerre; personne ne connaît le sigle de cette organisation : Front de libération nationale (FLN), ni celui de sa branche militaire, l'Armée de libération nationale (ALN); personne ne connaît les «hommes de novembre»,

Depuis l'été 1954, avec la dégradation de la situation au Maroc et en Tunisie, les effectifs engagés en Algérie augmentent de façon sensible : renforts venus de métropole et, surtout, rapatriements d'unités entières rentrant d'Indochine (3e régiment étranger

d'infanterie, 13e demi-brigade de Légion étrangère, 1er bataillon étranger de parachutistes). De 65 337 hommes, y compris la gendarmerie, au 1er novembre 1954, les effectifs passent à 76 555 hommes au 1er décembre et à 81 145 hommes au 1er janvier 1955. L'Algérie, qui faisait figure de réserve de l'Empire, va devenir zone d'opération.

Les renforts militaires arrivent dans les Aurès dès les premiers jours de novembre 1954. Un bataillon de paras fait route sur Arris le 4. Le 6 novembre, un autre se dirige sur Foum Touz. Le 7, un bataillon du 1er RCP s'installe au sud-ouest de Khenchela et le 8, un quatrième va remplacer les légionnaires à Tkout. Ci-contre, le 11 novembre, des automitrailleuses sont en position d'alerte près de l'école de M'Chouneche. Le caïd de ce village, Ben Hadj Saddok, a été tué le 1er novembre dans les gorges de Tighanimine en même temps que le jeune instituteur français Guy Monnerot.

"Les troupes enregistrent quelques modestes succès. Les hors-la-loi, tués ou prisonniers, portent souvent sur eux des papiers tunisiens et des cartes d'adhérents au Néo Destour. Mais la météo devient épouvantable. Pluie, froid, brouillard entravent les opérations pendant une douzaine de jours."

Claude Paillat,
*Dossiers secrets
de l'Algérie*

Ahmed Ben Bella ou Mohamed Boudiaf, Hocine Aït Ahmed ou Mostefa Ben Boulaïd, pourtant tous issus de l'organisation nationaliste indépendantiste, très populaire, le Mouvement pour le triomphe des libertés démocratiques (MTLD), dirigé par Messali Hadj.

La guerre, les morts, les coups de feu et les attentats ne sont pas directement en France, mais sur sa «frontière». L'opinion publique mettra du temps à s'émouvoir, s'inquiéter. La situation, pourtant, se détériore dans les Aurès et en Kabylie.

20 août 1955 : la fin du mythe des «opérations de maintien de l'ordre»

Le gouvernement d'Edgar Faure (après la chute de celui de Pierre Mendès France) met en place un appareil juridique qui, devant une situation de plus en plus préoccupante, substitue l'armée aux autorités civiles. La loi du 3 avril 1955 instaure l'état d'urgence dans les Aurès et la Grande Kabylie. Les autorités civiles sont habilitées à entreprendre des investigations plus larges. Mais surtout, les attributions de l'armée incluent désormais la répression des crimes et délits. Un arrêté du 21 juin 1955 rend officiel le système des représailles collectives; par exemple, dans la région de Constantine, de fortes amendes sont infligées à la population musulmane pour des poteaux télégraphiques sciés…

Les 20 et 21 août 1955, le FLN organise une action en force dans le Constantinois. Plusieurs centaines de combattants de l'ALN, avec l'aide de la population musulmane, attaquent les postes de police et de gendarmerie, les bâtiments publics symboles de l'ordre qu'ils dénoncent. Plus de trente villages sont attaqués par des milliers de paysans. Le prix est lourd : 52 morts algériens, 71 européens.

La répression est terrible. L'armée entre en action, comme en mai 1945 – cette année-là, une

L'*Algérie libre* est l'organe du PPA-MTLD, la principale formation indépendantiste algérienne avant le 1er novembre 1954.

insurrection dans l'Est-Constantinois avait fait des milliers de morts dans la population civile musulmane. Dix ans plus tard, l'histoire semble se répéter : insurrection paysanne, répression de l'armée, constitution de milices européennes. Le constat officiel s'établit à 1 273 morts. Le FLN, après enquête, avancera le chiffre, jamais démenti, de 12 000 victimes musulmanes.

Lors des obsèques des 71 victimes européennes de Philippeville en août 1955 (ci-dessous), la foule piétinera les couronnes mortuaires envoyées par Jacques Soustelle.

ONDUITE A TENIR NORD – STOP – TOUTE ECLOSION
E DOIT ENTRAINER AUSSITOT D'UNE PART ACTIONS
ANDES REBELLES ET D'AUTRE PART SANCTIONS
EN VERTU RESPONSABILITES COLLECTIVE – STOP –

Le temps des réformes est révolu. Le gouverneur général Jacques Soustelle, bouleversé par le spectacle des cadavres européens mutilés de Philippeville (aujourd'hui Skikda), va désormais laisser carte blanche à l'armée. La répression en Algérie prend ouvertement l'allure et les dimensions d'une véritable guerre.

Le général Cherrière, commandant interarmées en Algérie, énonce dans cette note le principe de la responsabilité collective.

Aux bataillons de CRS, de gendarmes, de légionnaires et de parachutistes qui étaient déjà en Algérie, vont s'ajouter d'autres hommes. Le 24 août 1955, 60 000 jeunes soldats, récemment libérés, sont «rappelés». Le 30 août, le gouvernement décrète le maintien sous les drapeaux de 180 000 «libérables» (ceux qui sont en train d'achever leur service). Les appelés (ceux qui doivent accomplir leur service militaire) reçoivent leur feuille de route pour l'Algérie. Dans la plupart des villes de garnison où doit s'effectuer le départ, les «rappelés» manifestent et les appelés se joignent à eux. Les mères, les femmes et les fiancées participent également à ces manifestations. Un «contingent» se forme. Il n'y a plus de différence entre «rappelés», «maintenus» («ADL» : au-delà de la durée légale) et «appelés» («PDL» : pendant la durée légale).

«Chaque jour des renforts militaires sont envoyés en Algérie et au Maroc. Le gouvernement a même dû faire appel à des jeunes gens libérés du service militaire, ou libérables, et à des réservistes. Les hommes qui sont ainsi mobilisés au service de la nation, et au risque de leur vie, sont des citoyens. Ils se posent de légitimes et douloureuses questions. Que peut-on leur répondre?**»**

L'Express,
10 septembre 1955

L'idée nationale algérienne fait son chemin

Le 30 septembre 1955, la «question algérienne» est inscrite à l'ordre du jour de l'ONU. Les indépendantistes algériens, par le soulèvement des 20 et 21 août, ont réussi à attirer l'attention mondiale sur l'Algérie. Le conflit entre dans sa phase d'internationalisation.

Face au développement de l'insurrection nationaliste, le gouvernement français s'empresse de trouver un règlement pour les deux protectorats français de la Tunisie et du Maroc. Il traite avec les leaders nationalistes Habib Bourguiba et Mohamed V, que ses prédécesseurs avaient exilés et emprisonnés, et accorde la souveraineté interne à la Tunisie (l'indépendance sera effective en mai 1956), et l'indépendance au Maroc en novembre 1955 (elle aussi, *de jure*, en mars 1956).

Mais en Algérie, c'est la reprise des stéréotypes et ignorances à propos de la guerre : les soldats vont vers une aventure sans danger, une guerre peu meurtrière... Les Algériens musulmans modérés, comme Abderrahmane Farès, signent en septembre 1955 une motion (dite «des 61») qui introduit l'«idée nationale algérienne». Ferhat Abbas, leader lui aussi considéré par les autorités françaises comme un «modéré», a rejoint secrètement le FLN, dès ce moment. Les religieux (les oulémas) s'apprêtent à franchir le pas. En cette fin d'année 1955, tout se précipite.

Abderrahmane Farès (en bas, à droite), qui a rompu avec l'intégration en septembre 1955, déclare en 1956 : «Le seul interlocuteur valable à l'heure actuelle est le FLN, qui a su grouper derrière lui la quasi-unanimité du peuple algérien.» Ci-dessous, Ferhat Abbas.

Février 1956, la République capitule

Le 29 novembre 1955, l'Assemblée refuse la confiance au gouvernement d'Edgar Faure par 318 voix contre 218, permettant ainsi de déclencher le mécanisme de la dissolution. Des élections législatives sont fixées au 2 janvier 1956.

À la fin de l'année 1955, des manifestations éclatent pour «la paix en Algérie» (ci-contre), faisant suite à celles des rappelés. Robert Bonnaud en relate certaines dans *Itinéraire* : «A Fréjus, un général de haut grade est chahuté et insulté. A Avignon, les rappelés forcent en bloc la sortie de la caserne et manifestent en ville. A Montpellier, la troupe bouscule le colonel. A Metz, lors d'une cérémonie au monument aux morts, les officiers ne peuvent obtenir le présentez-armes, le garde-à-vous ni même le silence. Les anciens combattants

Malgré la dissolution de la Chambre, Jacques Soustelle maintient l'état d'urgence. Le gouvernement décide le report des élections en Algérie. Le 20 décembre 1955, *L'Express* reproduit des photographies prises en août, qui représentent l'exécution d'un «rebelle» algérien par un gendarme auxiliaire. La campagne électorale se déroule sur fond de drame algérien, la gauche réclame «la paix en Algérie». Les socialistes et les radicaux forment un Front républicain qui l'emporte le 2 janvier 1956.

Le 1er février, l'Assemblée nationale investit le nouveau gouvernement. Guy Mollet devient président du Conseil, et le général Georges Catroux, ministre résident en Algérie. Jacques Soustelle, si mal accueilli lors de son arrivée à Alger en février 1955

indignés manquent de se servir des hampes et des pointes de leurs drapeaux contre les rappelés. Et la cérémonie se transforme en cortège tumultueux.» Ci-dessus, affiche socialiste pour la campagne des élections du 2 janvier 1956.

L'ARMÉE FRANÇAISE
EN ALGÉRIE
PACIFIER
UNIR

(il était alors considéré comme l'«homme des Arabes»), quitte une ville en délire le 2 février 1956. Plus de 100 000 personnes, la plupart européennes, lui manifestent bruyamment leur attachement.

Le 6 février, une manifestation d'«ultras», partisans de l'Algérie française, conspue la politique du gouvernement; des projectiles divers atteignent Guy Mollet. Cet événement passera à la postérité sous le nom de «journée des tomates». Neutre encore, le président du Conseil abandonne sa politique de recherche de paix en Algérie. Pierre Mendès France démissionne de son poste de ministre d'Etat et le général Catroux est rappelé à Paris. Le gouvernement socialiste va plonger dans la guerre.

Pour ne pas rompre le Front républicain, le PCF a voté les «pouvoirs spéciaux», mais, à l'été 1956, il s'oppose à la poursuite de la guerre d'Algérie. *Les Temps modernes*, que dirige Jean-Paul Sartre, stigmatisent ainsi ce vote : «La gauche, pour une fois unanime, a voté les pouvoirs spéciaux, ces pouvoirs parfaitement inutiles pour la négociation mais indispensables pour la poursuite et l'aggravation de la guerre. Ce vote est scandaleux et risque d'être irréparable.»

Les «pouvoirs spéciaux»

Nommé, le 9 février 1956, ministre résident en Algérie par Guy Mollet en remplacement de Catroux, démissionnaire, Robert Lacoste dépose sur le bureau de l'Assemblée nationale un projet de loi «autorisant le gouvernement à mettre en œuvre en Algérie un programme d'expansion économique, de progrès social et de réforme administrative, et l'habilitant à prendre toutes les mesures exceptionnelles en vue du rétablissement de l'ordre, de la protection des personnes et des biens, et de la sauvegarde du territoire».

L'Algérie sera divisée en trois zones (zone de «pacification», zone d'opération et zone interdite) où évolueront trois corps d'armée spécifiques. Dans la zone d'opération, l'objectif est l'«écrasement des rebelles». Dans la zone de «pacification», est prévue la «protection» des populations européennes et musulmanes, l'armée s'efforçant de suppléer à l'insuffisance de l'administration. La zone interdite sera évacuée, la population rassemblée dans des «camps d'hébergement» et prise en charge par l'armée.

Le 12 mars, le Parlement vote massivement, par 455 voix (dont celles du PCF) contre 76, cette loi sur les «pouvoirs spéciaux» qui, entre autres, suspend la plupart des garanties de la liberté individuelle en Algérie.

La mobilisation massive du contingent

Le conseil des ministres du 11 avril 1956 mobilise 70 000 rappelés. Trois décrets, du 12 avril, confirment les décisions prises la veille et organisent leur application : «le maintien sous les drapeaux des hommes du premier contingent 1955 et des militaires qui auront satisfait à leurs obligations légales d'activité entre le 31 juillet 1956 et le

30 janvier 1957», ainsi que le rappel de disponibles et de certains officiers ou sous-officiers de réserve. Le service militaire est porté à vingt-sept mois au lieu de dix-huit et le rappel d'hommes ayant déjà effectué leur service double en six mois le nombre des soldats en Algérie : ils sont 400 000 en juillet 1956. Comme en septembre de l'année passée,

Bon pour le service... fataliste intitulé d'un autoportrait (à gauche) réalisé par un appelé le jour où il a reçu sa feuille de route pour l'Algérie.

Face à un adversaire invisible et bon manœuvrier, l'armée pare les coups «en aveugle».
Les «suspects» sont arrêtés, au hasard, par les opérations de «ratissage» ou de «bouclage».
En couverture de *Paris-Match* de juin 1956, l'offensive «Espérance», «la première grande bataille de la pacification de l'Algérie livrée et gagnée par les appelés».

des manifestations de soldats éclatent dans les casernes et les trains. Leur protestation ne rencontre aucun écho. Les grands partis de gauche ne mènent pas campagne pour l'indépendance algérienne, en 1956. La société française, elle, dans sa majorité, roule à toute vitesse vers la consommation, et regarde l'Algérie avec une grille de lecture qui gomme les aspérités, croyant (de bonne foi?) à des «opérations de maintien de l'ordre», peu meurtrières.

La guerre cruelle

En Algérie, le bled continue de «pourrir», le terrorisme s'implante un peu partout. Le FLN déclenche des grèves à Oran en février, à Alger en mai. La dissémination des troupes françaises et leur médiocre entraînement les rendent vulnérables aux embuscades. A Palestro, le 18 mai, vingt soldats, des jeunes Parisiens rappelés, tombent sous les coups des hommes du commando Ali Khodja de l'ALN aidés par la population. L'unique survivant est délivré par les paras cinq jours plus tard.

Fin 1956, la guerre d'Algérie a pris vilaine tournure. Il a fallu rappeler plusieurs classes, puis porter à près de trente mois la durée du service militaire. La répression a poussé vers le maquis des milliers de jeunes Algériens (en particulier les étudiants qui ont organisé une grève des cours en mars 1956). Les troupes de secteur quadrillent le territoire sans beaucoup de mordant. Les paras et

Au congrès de la Soummam, en août 1956, l'ALN se structure en compagnies (*katibas*), sections (*ferkas*) et groupes (*fawj*) comptant respectivement 110, 35 et 11 hommes. Les soldats (*moudjahidines*) sont estimés à 7 000. Cette même année, de nombreux étudiants rejoignent le maquis (à droite, en Kabylie). Le terrorisme sévit à Alger (ci-dessus).

la Légion, sollicités en permanence, essuient de lourdes pertes. On ne peut plus «s'arranger» avec cette guerre qu'on ne veut pourtant toujours pas nommer. Certes, séparée par une mer, elle n'effraie pas encore les «métropolitains» (les pieds-noirs les appelaient les «patos»). Elle arrive seulement par «bouffées», par éclaboussures, ainsi dans le récit pionnier de Robert Bonnaud *La Paix des Nementchas*, qui vient troubler l'harmonie rassurante; d'autres récits disent les traces de la guerre, le vent chaud (ou le froid) qui débraille les soldats.

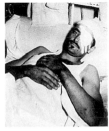

"Après l'embuscade près des gorges de Palestro, il n'y aura qu'un seul survivant, le soldat Pierre Dumas [ci-dessus]. En France l'émotion est immense; d'un coup on découvre que, là-bas, c'est bien la guerre, puisque des jeunes Français meurent. Des rappelés de surcroît et presque tous pères de famille. Palestro restera comme la plus célèbre embuscade de la guerre. De classes en classes, les soldats du contingent se transmettront le souvenir de Palestro, le symbole de ce qui peut arriver de pire : l'attaque surprise, l'impossibilité de se défendre, la mutilation ultérieure des cadavres. La hiérarchie militaire saura d'ailleurs utiliser ce traumatisme pour vaincre les réticences.**"**

Patrick Rotman, Bertrand Tavernier, *La Guerre sans nom*

« L e départ eut lieu. Jamais je n'oublierai ce spectacle. Les familles étaient dans la rue et, à travers les grilles de la caserne, regardaient monter dans les camions leurs fils ou leurs frères ou leurs petits amis. Je voyais encore mes parents, petites silhouettes en larmes. Pour eux comme pour moi, on m'emmenait à la boucherie. J'étais un enfant, leur enfant, et cet enfant partait à la guerre. »

Claude Berri, *Le Pistonné*

CHAPITRE II
L'AVENTURE OBLIGÉE

••C'était à Marseille, le jour de l'embarquement, deux cents troufions accotés au bastingage du bateau encore à quai. C'était le *Ville-d'Oran*, un cargo mixte, les matelots n'avaient pas le temps de laver les cales où les soldats vomissaient par brigades entières; avec l'odeur d'huile chaude, c'était un régal et, comme avait dit ma tante roubaisienne lorsque je lui avais annoncé mon départ outre-mer : «Ça te fera un voyage que tu n'aurais peut-être pas eu l'occasion de faire.»••

Claude Klotz,
Les Appelés

Les années 1950-1960, au sortir des privations de la Seconde Guerre mondiale, veulent oublier l'existence des guerres et des misères du temps. Alors, les soldats appelés en Algérie se retrouvent bien seuls. Ils partent, tous marqués par l'accablement d'un «voyage» jamais précisé, le dos courbé d'un paquetage éreintant. Ils montent dans le bateau sans se regarder, sans se retourner, chacun perdu dans ses pensées… Ils partent vers une guerre sans nom et sans visage.

" Alger, si proche et pourtant si distante que nous ne l'avions jamais revue depuis le jour du débarquement et la distribution par ses jeunes et jolies étudiantes, volontaires de l'Algérie française, de leurs prospectus, cartes postales et petits sacs de vivres. "
Jean-Jacques Servan-Schreiber,
Lieutenant en Algérie

L'Algérie, un morceau de patrie immatérielle

A bord du vieux *Sidi-Ferruch*, du *Kairouan* ou du *Ville-de-Marseille*, la traversée de la Méditerranée est une épreuve extrêmement pénible pour beaucoup : mal de mer, installations déplorables, surtout concernant l'hygiène, soldats parqués dans les cales (comme du bétail, se plaindront certains).

Parmi ces soldats, il n'y a que très peu de rêveurs en attente de coutumes et saveurs d'un Orient de légende. Seulement de la résignation, la banalisation d'une angoisse, et le saut vers l'inconnu. Pour l'immense majorité d'entre eux, c'est pourtant leur premier «grand voyage», le départ hors de la province, de l'Hexagone, vers… l'Afrique.

Sur le pont du bateau, quand ils aperçoivent «Alger la Blanche», leur chagrin du départ n'a pas disparu. Il n'aura d'ailleurs jamais eu un «début» (le départ), «un milieu» (la guerre), puis une «fin» (la quille)… Il se manifestera par cycles, comme les saisons, donnant à chaque fois le sentiment de revenir au point de départ.

Les «classes», les discours, l'instruction

Voici les soldats descendant du bateau. Et, en bas, des jeunes filles souriantes, bronzées, sous des robes d'été, qui offrent bonbons et brioches. C'est une délégation d'étudiantes d'Alger, à la fin de l'été 1956. Il faut bien accueillir les hommes venus de loin, «nous» défendre, face à des «rebelles» de plus en plus organisés. A ce moment, près de 400 000 hommes sont stationnés en permanence sur le sol d'Algérie.

Le «bleu», parfois encore en civil, chaloupant de fatigue et de peine, assommé, blessé dans son esprit, avance comme celui qui va sans savoir. Les autorités le coiffent d'un casque, le poussent dans un camion,

"Alger nous était apparue comme une énorme ville ultramoderne où les gratte-ciel en construction grandissaient à vue d'œil. La population paraissait totalement indifférente aux troupes venues pour la défendre. Il est vrai que nous étions si nombreux en armes!"

Alain Manevy,
L'Algérie à vingt ans

dont il est jeté quelques kilomètres plus loin.
Il se retrouve dans la cour d'un centre d'instruction.
Le désarroi et l'accablement de l'appelé se trouvent
exacerbés par les lamentables conditions matérielles
de l'accueil dans les casernes. On lui donne un
uniforme et des feuilles ronéotées de propagande
militaire, où il est question de l'histoire de son
régiment (la Crimée, Solferino, la Cochinchine,
Verdun, les campagnes d'Italie, de France...); où
l'on évoque l'entraînement sportif, la vie culturelle,
le maniement d'armes sophistiquées; où sont précisés
les bons rapports entretenus avec les civils, musulmans
et européens. On lit, on écoute, et l'on regarde alentour.
Mais «faire ses classes», c'est aussi apprendre à tirer
(un peu), «crapahuter» (beaucoup), s'ennuyer (déjà...)
et écouter les premiers discours de sous-officiers,
commandements secs, ordres vigoureux.

••Les nouveaux arrivants avaient droit ... à un discours. Entre la distribution des paquetages et la première collation, les incorporés, alignés

Petite sociologie des appelés

Les appelés viennent
de toutes les régions de
France et appartiennent
à toutes les couches de la
société. Peu d'étudiants,
beaucoup de paysans (la
France des années 1950-
1960 est encore très
rurale), d'ouvriers et
d'instituteurs.

Par l'obtention de sursis, les étudiants constituent
une catégorie particulière. En dehors des militants
(majoritairement partisans de l'indépendance
algérienne), les jeunes intellectuels se sentent, dans
leur grande majorité, peu concernés par cette guerre.
Jusqu'au moment où les sursis seront supprimés. La
première grande manifestation de l'UNEF (Union
nationale des étudiants de France) pour «la paix en
Algérie» sera organisée le 27 octobre 1960. Cinq ans
après le début de la guerre! Une phrase de Philippe
Labro, dans *Des feux mal éteints*, reflète bien cet état
d'esprit : «Jouant sursis sur sursis, fraudes sur fraudes,
j'ai même failli échapper à l'Algérie.» Et, lorsque l'on

avec leur barda, à l'ombre de quelques eucalyptus, pouvaient entendre un officier supérieur leur dire brièvement ce que l'Armée ou la France espérait d'eux et ce qu'ils risquaient de rencontrer en Algérie.••

Jean-Louis Gérard,
manuscrit inédit

N ANCIEN
E PARLE

ne peut plus bénéficier d'un sursis ou faire jouer certaines relations, on tente l'impossible exploit : berner les médecins militaires, comme l'un des personnages de Claude Klotz, dans *Les Appelés* : «Cela m'encourageait, je prenais de l'audace, je commençais à parler de schizophrénie, de paranoïa, je voyais les portes bienfaisantes du monde civil s'ouvrir à moi, portes seules capables d'accueillir un être aussi taré, aussi inadapté socialement. J'ai dû finir plié en quatre sur la moquette en recherche de position fœtale, en balbutiant des mots sans suite. Il a alors discrètement bâillé et a dit : "Un changement de vie vous fera beaucoup de bien, vous partez lundi."»

Au début des années cinquante, les appelés accomplissaient leur service militaire en métropole ou, pour certains, en Algérie, alors partie intégrante de la République française. Dès le début de la guerre, en novembre 1954, d'autres appelés sont envoyés en renfort. Après le soulèvement paysan d'août 1955 dans le Constantinois, les besoins en effectifs

VOUS ÊTES VENUS
LES PROTÉGER

sont à l'origine de leur maintien sous les drapeaux pour vingt-quatre mois. Mais c'est le gouvernement de Guy Mollet, en avril 1956, qui décide que la quasi-totalité des appelés fera tout ou partie de son service militaire en Algérie. L'envoi du contingent est bien la marque singulière de cette guerre.

Il y a le provincial, terne et triste, sans avenir, pour qui la guerre ne change presque rien à son mode de vie. Il y a celui qui, sans raison apparente, abandonne ses études et débarque en Algérie.

Il y a le paysan, qui, obligé, lui, de quitter sa ferme et contraint de subir l'Algérie, ne fait que traverser la guerre en observateur passif.

Il y a l'instituteur, enflammé, «raisonneur», qui, après une phase de mise à l'écart (est-il subversif? communiste?), peut ensuite être apprécié par la hiérarchie militaire, et, discrètement, sans effraction pour ainsi dire, entrer dans une logique de commandement… Le grade, de toute manière, atteste une ascension, une réussite fulgurante, «visualise» le degré d'engagement dans l'appareil militaire et la marque du respect.

Et puis, il y a celui qui se reconstruit le personnage mythique du guerrier. Il fait siens, expressions de langage, mimiques, regard froid du para, manière de marcher, de saluer… Celui-là aussi se montre capable d'absorber la vie des autres (les paras en action).

Enfin, il y a ceux qui ont une conviction personnelle, qu'ils tentent ou non de la faire partager. Pacifistes, socialistes ou communistes, ils refusent de devenir «comme les autres», de se confondre dans la masse du contingent. La prise de conscience s'est faite avant l'Algérie ou pendant : la sortie de l'anonymat affirme leur véritable personnalité. Ils acquièrent du charisme auprès des autres par refus des masques déformants pour approcher et séduire autrui. Nul désir d'émerger du lot, d'entrer dans une quelconque hiérarchie de commandement mais simplement l'ambition de modifier le regard que portent les autres sur eux… Beaucoup de ceux-là seront «contre» une guerre qu'ils jugent inutile pour la France.

Ce n'est bien entendu pas le cas des appelés pieds-noirs qui combattent la «rébellion» pour conserver à la France les trois départements français d'Algérie.

Dans la série télévisée *Les Années algériennes* (1991), un ancien soldat français évoque son passage à la 3e compagnie de tirailleurs algériens. Question : «Vous aviez des Algériens dans votre compagnie?

La séparation avec les soldats musulmans, appelés, engagés, harkis

Les Français de souche nord-africaine («FSNA») constituent une catégorie à part. Jamais le mot «classes» n'aura été si approprié pour décrire les différenciations sociales, le cloisonnement ethnique, la discrimination raciale à l'intérieur du régiment. Le recrutement des FSNA a revêtu un caractère multiforme. Il s'est traduit par la création d'unités supplétives (*harkas*, groupes mobiles de protection rurale [GMPR],

Ces gens, c'étaient pas des harkis, c'étaient des engagés?» Réponse : «C'étaient des engagés, mais il y avait aussi des appelés musulmans… qui étaient naturalisés français.» Cette réponse hésitante révèle à quel point la présence d'appelés algériens FSNA apparaît paradoxale. Selon l'historienne Stéphanie Chauvin, les incorporations d'appelés FSNA n'ont pas cessé de progresser. «En 1954, 7 000 avaient été incorporés. En 1957, les effectifs montent à 14 000 et, en 1959, à 29 000. Sur la période 1956-1961, dates charnières de leur participation à la guerre d'Algérie, un peu plus de 100 000 appelés FSNA ont répondu à l'appel sous les drapeaux français.»

groupes d'autodéfense, *moghaznis*...) et par l'incorporation dans les rangs de l'armée régulière d'engagés, mais aussi d'appelés.

Combien sont-ils? Le 13 mars 1962, un rapport transmis à l'ONU évaluera le nombre de musulmans profrançais à 263 000 hommes; 20 000 militaires de carrière, 40 000 militaires du contingent; 58 000 harkis, dont les unités, formées à partir de groupes civils d'autodéfense, parfois promus

En 1960, l'état-major dénombre 162 000 supplétifs algériens dans l'armée française. L'historien Ch. R. Ageron commente : «Il est permis de penser qu'en lançant ce slogan des 160 000 on entendait surtout pouvoir affirmer que les musulmans qui acceptent volontairement de verser leur sang pour la France sont six fois et demie plus nombreux que ceux qui se battent contre elle à l'intérieur de l'Algérie.»

«commandos de chasse», prévues à raison d'une par secteur militaire, sont constituées en Kabylie, dans les Aurès et l'Ouarsenis; 20 000 *moghaznis*, éléments de police constitués à l'échelon des localités et placés sous les ordres des Sections administratives spéciales (SAS); 15 000 membres des GMPR, dénommés plus tard GMS (Groupes mobiles de sécurité), assimilés aux CRS; 60 000 membres de groupes civils d'autodéfense; 50 000 élus, anciens combattants, fonctionnaires.

L'armée : ses structures et ses chefs

En temps de paix, l'Algérie constituait la 10e Région militaire. Pendant la guerre, cette 10e Région comprend trois

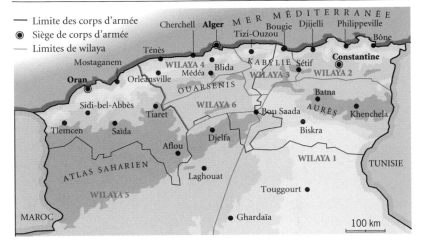

Légende :
— Limite des corps d'armée
◉ Siège de corps d'armée
— Limites de wilaya

corps d'armée distincts, ceux d'Oran, d'Alger et de Constantine, et regroupe les forces du Sahara ainsi que la marine et l'aviation.

Chaque corps d'armée est subdivisé en zones, secteurs et sous-secteurs, correspondant à la taille des unités stationnées dans leurs limites et adoptant une structure qui suit – mais parfois s'en écarte – celle des départements, arrondissements, préfectures et sous-préfectures. Ces divisions administratives seront réorganisées à plusieurs reprises au cours des hostilités. La majeure partie de l'administration civile finira par incomber aux forces armées en raison des conditions juridiques de fait créées en 1956 par les «pouvoirs spéciaux» et du décret gouvernemental de juin 1958 lors de l'arrivée au pouvoir du général de Gaulle.

Au sommet de cette pyramide territoriale se trouve le commandement militaire, qui demeure subordonné à l'autorité civile d'Alger. A deux exceptions près – celle du général Challe en 1959 et celle du général Fourquet en 1962 –, il sera toujours confié à un général de l'armée de terre, qualifié tantôt de «commandant suprême», tantôt de «commandant supérieur». Qu'il soit «suprême» ou «supérieur», le commandant exerce son pouvoir sur les trois armées (terre, air et mer), dites «forces interarmées», et est assisté par un état-major interarmées.

A partir de 1956, le gouvernement bouleverse l'organisation administrative de l'Algérie. Aux trois départements initiaux, se substituent douze départements administrés par des préfets supervisés par trois «igames» siégeant à Alger, Oran et Constantine. L'armée calque sa hiérarchie sur la hiérarchie civile. A chaque igame, correspond un chef de corps d'armée, à chaque département une zone, elle-même divisée en secteurs et sous-secteurs.

Le chef suprême de la hiérarchie est à Paris.
Il s'agit du chef d'état-major général des armées.
Durant la majeure partie de la guerre, ce poste sera
occupé par le général Ely, un homme qui a traversé
et personnifie tous les conflits de la société militaire
française depuis la Seconde Guerre mondiale. A la
fois conscience et porte-parole de l'armée, il partage
ses inquiétudes au sujet des «empiétements
communistes», de la «guerre révolutionnaire», mais
sait les replacer dans leur contexte. Son rôle sera de
prévenir, de jouer les médiateurs, d'apaiser, voire de
réconcilier.

Les forces régulières

Au plus fort de la guerre, au moins trois cinquièmes
des forces françaises actives – auxquelles il faut
ajouter la gendarmerie, une série de groupes
d'autodéfense civils et les *harkas* – se trouvent
engagés en Algérie. Leur tâche est de livrer bataille
partout où l'on peut contraindre les *fellagha*, les
soldats du FLN, à se montrer.

Les forces régulières françaises réparties sur
l'ensemble du sol algérien et responsables de l'ordre
et de la sécurité des différentes zones du quadrillage
s'élèvent au moins à 400 000 officiers et hommes
de troupe, dont environ quatre-vingts pour cent
d'appelés. Leurs réactions dépendent surtout des
conditions locales de l'implantation du FLN et de
la situation des maquis. L'Algérie représente en fait,
pour les officiers français, un système de guerres
localisées contre des groupes de guérilla disparates.
La riposte des chefs militaires français chargés du
quadrillage ne peut être que pragmatique et s'adapte
au degré de «pourrissement» de la zone ou du secteur
dont ils ont la charge.

Ainsi, au fur et à mesure qu'avancera la
«pacification», mise en œuvre à partir de 1956, de
vastes régions d'Oranie seront rendues pratiquement
imperméables au «terrorisme rebelle». A l'inverse,
les régions montagneuses et très peuplées de la
Kabylie et du Nord-Constantinois abriteront toujours
d'irréductibles poches de résistance de l'ALN. Par
conséquent, les ripostes locales sont très différentes

Le général Ely
(en haut) est le chef
d'état-major de l'armée
française en Algérie.

selon les régions. Il en résulte une absence de doctrine officielle en matière de méthodes de guerre, absence que beaucoup d'officiers français déplorent et qu'ils identifient aux hésitations des gouvernements successifs.

La réserve générale

La réserve générale, composée à soixante pour cent de soldats de métier, a une mission radicalement différente de celle des autres troupes. Elle a un caractère souple et se compose essentiellement de parachutistes, des régiments d'infanterie de la Légion étrangère et des commandos de marine.

Le 3e régiment de parachutistes coloniaux (RPC) du colonel Bigeard (ci-dessous et page suivante) s'installe en février 1955 dans le Nord-Constantinois. Il poursuivra les «rebelles» sans relâche.

Sa base est à Alger. Elle est expédiée dans diverses parties du territoire où elle doit accomplir des missions spéciales, renforcer les autres troupes pour des opérations de «bouclage».

Certains régiments de parachutistes comptent une proportion relativement élevée d'appelés, mais la Légion est strictement formée de militaires de carrière. De plus, la réserve se considère comme une élite, ce qui a le pouvoir d'agacer les autres troupes, d'autant plus que les histoires courent un peu partout dans la grande presse sur le mythe des «paras», le général Massu ou le colonel Bigeard, para par excellence. La gauche les stigmatise comme «garde prétorienne fasciste», la droite en fait des symboles de la puissance patriotique et de la force physique.

Pour la grande majorité des paras et des légionnaires, il y a les missions précises de «destruction», «coups tordus», «coups de main» rapides, violents, inopinés, séances «particulières» d'interrogatoires... Pour les troupes de quadrillage, il y a souvent les tâches quotidiennes et monotones d'une «pacification» éphémère, complexe, faites de milliers de petits travaux administratifs.

Le para, accoutumé aux actions brillantes où il faut avant tout frapper vite et non aux interminables efforts de la «pacification», fait preuve d'un optimisme que ne partagent guère les officiers de Blida, de Saïda ou de Tizi-Ouzou au sujet de «l'élimination rapide de la rébellion» – le fameux et toujours «dernier quart d'heure» de la guerre.

L'armée administre et contrôle d'immenses territoires

Les détachements des SAS (Sections administratives spéciales), qui comptent environ 1 200 officiers, sont caractérisés par la souplesse de leurs effectifs et de leur mission. A leur tête, on trouve généralement un officier, un sous-officier et trois civils : un secrétaire jouant le rôle de comptable, un secrétaire-interprète et un opérateur radio. Ces cinq hommes ont la lourde responsabilité d'obtenir le «ralliement» d'une zone

Entre 1956 et 1958, l'action psychologique connut un considérable développement au travers de la diffusion de tracts (ci-dessous).

après que les unités de combat l'ont «pacifiée». Laquelle peut couvrir plusieurs kilomètres carrés et ne correspond pas toujours à la structure des commandements militaires. L'officier SAS dépend, sur le plan hiérarchique, de l'autorité civile et de ses propres chefs militaires, qui ne sont pas les mêmes que les commandants des opérations.

Cette armée, importante, a pourtant le plus grand mal à couvrir un territoire immense – quatre fois la superficie de la France – de façon efficace. Les petits détachements doivent se

"Dans la région de Berthelot, en Oranie, l'action psychologique et l'assistance médicale gratuite se limitent à une tournée de pacification hebdomadaire. On part à deux véhicules, un camion haut-parleur et une voiture ambulance. Cette dernière transporte un médecin aspirant de réserve, un infirmier, deux jeunes filles (une Européenne, une musulmane). Dans l'autre camion, un sous-lieutenant, un interprète, et trois moniteurs. Ces moniteurs ne savent que répondre aux diatribes des jeunes gens des camps de regroupement dûment chapitrés par le FLN.**"**
Henri Le Mire,
Histoire militaire de la guerre d'Algérie

montrer déterminés en dépit de leur isolement, et l'une des tâches des SAS consiste à réapprendre aux villages à se suffire à eux-mêmes. Dans les premières phases de la «pacification» (1956-1957), des conditions très spéciales attendent le lieutenant SAS, généralement frais émoulu d'Alger, de la métropole ou du Maroc, lorsqu'il arrive sur place.

Souvent, le FLN est le maître de la nuit. Des villageois s'enfuient en grand nombre et il faut faire preuve de la persuasion la plus acharnée pour les faire revenir jusqu'à leur domicile. Si l'on veut réussir, des opérations militaires soigneusement orchestrées sont nécessaires pour démontrer que les Français sont capables d'établir fermement leur contrôle de jour comme de nuit.

La SAS s'installe d'ordinaire, non dans un poste militaire, mais dans le douar même, au milieu de la population (ci-dessous). Ces hommes habitent sous la tente ou dans une *mechta* disponible; puis ils construisent leurs locaux avec le concours rétribué des habitants. Chaque SAS peut engager de 30 à 50 *moghaznis*.

Le rôle ambivalent des SAS

Une multitude de mesures pratiques et humanitaires échoient à l'officier SAS et à son personnel restreint s'ils veulent s'imposer au village. Ils doivent superviser la réorganisation de la vie quotidienne, lancer des projets visant à améliorer le niveau de vie, s'occuper des distributions de vivres ou de médicaments. La construction des villages, qui se développe au cours de l'intense campagne de regroupement entreprise par l'armée de 1957 à 1961, fait également partie de leurs attributions.

Les SAS dépendent entièrement de l'armée régulière pour toute aide opérationnelle ou logistique et même pour l'obtention de main-d'œuvre lorsqu'il

Les SAS, nées en 1956, représentent l'autorité civile auprès de 1494 communes créées par la réforme municipale de 1956. De 1956 à 1962, 73 officiers, 33 sous-officiers et plus de 600 *moghaznis* membres des SAS sont tombés «pour la France et pour l'Algérie». Ci-dessous, un lieutenant SAS préside un conseil de village devant une mairie.

faut construire. Comme le font remarquer bien des officiers SAS, rien n'aurait pu être entrepris sans les jeunes ouvriers spécialisés du contingent, les maçons par exemple, qui, entre deux patrouilles épuisantes

pour les nerfs, manient la pioche et participent à la construction de nouvelles habitations. Mais l'autonomie des SAS et le caractère non militaire de leur mission suscitent très souvent le mépris de l'armée régulière, qui s'efforce alors d'imposer son commandement.

Pour l'armée classique, la SAS c'est le Bureau des contrôles; pour les civils, c'est le Bureau militaire. Son rôle est de travailler en étroite relation avec gendarmeries, renseignements généraux, polices, mais aussi percepteurs, bureaux d'aide sociale, assistantes sociales, directions départementales du contrôle des enquêtes économiques, médecins ou instituteurs de l'armée.

Mais les SAS, ce n'est pas seulement l'honneur, la noblesse et la paix retrouvée... Elles utilisent également des méthodes plus «traditionnelles», et contestables. A Constantine, par exemple, où le lieutenant SAS Racinet s'évertue à prendre en main les populations locales, nous dit Henri Le Mire dans son *Histoire militaire de la guerre d'Algérie* (1982), il «ne se contentait pas d'un système de fiches de contrôles. Il voulait apprivoiser le milieu musulman, et lui faire vomir les rebelles qui vivaient à ses dépens». Au moyen de la torture? Henri Le Mire cite directement les propos de Racinet : «La torture, il fallait soit l'interdire, soit la couvrir. Toute autre

attitude était indigne d'un chef. Il existait une troisième voie… c'était de pousser si loin la structuration des populations que l'on puisse se passer de torture. Le renseignement affluant, il ne serait plus nécessaire de le payer de ce prix d'iniquité. »

Chaque année, 700 jeunes médecins, 1 300 infirmiers, qui participent activement aux SAS (consultation médicale en haut à gauche), peuvent être prélevés sur le contingent. Des soldats, instituteurs ou non, vont être engagés dans la campagne d'alphabétisation menée pendant la guerre d'Algérie. En 1959, on recense 1 293 instituteurs militaires dans 944 écoles donnant des cours à 71 000 élèves algériens musulmans (ci-dessus, classe en plein air en Kabylie).

«J'avais beau écarquiller les yeux,
je ne voyais la guerre nulle part.
J'en venais à penser qu'on nous montait
un fameux bourrichon avec les
atrocités. Je somnolais appuyé sur mon
fusil, redoutant plus d'être surpris à
dormir qu'un éventuel passage de fells.
"Allez debout!" Je me jetais dans un
treillis. Les fells venaient d'attaquer
le barrage en trois endroits.»

Yann Queffélec, *Le Charme noir*

CHAPITRE III
UNE GUERRE SANS FRONT

A partir de 1956 et l'envoi massif du contingent en Algérie, le mot «guerre» prend une réalité effective. Une guerre sans front contre un ennemi invisible, une guerre civile aussi, entre adversaires et partisans de l'Algérie française qui s'affronteront ouvertement en 1961-1962.

Le durcissement de la guerre

A la fin de l'année 1956, les négociations secrètes engagées entre le gouvernement français et le FLN (à Belgrade et à Rome) échouent – la cause : l'interception, le 21 octobre 1956, par l'aviation française de l'appareil où se trouvent les principaux chefs de l'insurrection algérienne, comme Hocine Aït Ahmed, Mohamed Boudiaf et Ahmed Ben Bella. D'autre part, l'opération franco-britannique visant à s'emparer du canal de Suez, nationalisé par Nasser, est un échec. Américains et Soviétiques obtiennent le rembarquement des troupes anglaises et françaises le 15 novembre 1956. Pour la France, il s'agissait surtout de frapper le «sanctuaire» que constituait, à ses yeux, l'Egypte pour les indépendantistes algériens. Ces revers nourrissent le durcissement de la guerre d'Algérie.

Depuis l'automne, Robert Lacoste réclame un nouveau commandant en chef. Le 15 novembre 1956, Guy Mollet installe le général Raoul Salan à la place du général Henri Lorillot, qui n'a pas su trouver la parade

A son arrivée en Algérie, Raoul Salan (à gauche, en compagnie du secrétaire d'Etat aux armées Max Lejeune) réorganise la hiérarchie militaire en la calquant strictement sur la hiérarchie administrative, pour renforcer leur unité d'action.

à la guérilla, malgré les renforts débarqués chaque mois en Algérie. L'arrivée de cet ancien d'Indochine et «stratège» de la guerre subversive ouvre un nouveau chapitre du conflit. D'autant que le FLN a décidé de changer de terrain : en janvier 1957, il porte la guerre au cœur d'Alger, en multipliant les attentats et en lançant un mot d'ordre de grève générale.

La «bataille d'Alger»

Le 7 janvier 1957, 8 000 paras pénètrent dans la ville, investis d'une mission policière. La «bataille d'Alger»

commence. Le terrorisme urbain frappe : le 26 janvier, trois bombes explosent à quelques minutes d'intervalle, au bar *L'Otomatic*, au café du *Coq hardi* et à la *Cafeteria*, en plein centre d'Alger, faisant 4 morts et 37 blessés. Deux Algériens musulmans sont lynchés par une foule européenne exaspérée.

Le 28 janvier, en liaison avec les débats de l'ONU, le FLN lance un ordre de grève générale de huit jours. L'armée brise la grève. Le 10 février, deux explosions créent la panique dans deux stades d'Alger. L'armée redouble d'activité. A tout instant et en tout lieu, les hélicoptères se posent sur les terrasses de la Casbah. Dans la ville, divisée en secteurs, les quartiers musulmans sont isolés derrière des barbelés, sous la lumière des projecteurs.

Dès 1956, le FLN est fortement implanté dans la Casbah d'Alger, qui compte 80 000 militants, tous musulmans. Le 10 août, une bombe déposée par les «contre-terroristes» européens dans une rue de la Casbah fait 60 victimes. Le 30 septembre, le FLN dépose deux bombes dans deux cafés fréquentés par des Européens : 3 morts, 50 blessés. Salan décide alors d'affecter la 10e DP (division parachutiste), qui rentre de Suez, dirigée par Massu. En janvier 1957, le 3e RCP est présent dans la Casbah, les 1er RCP, 1er RPC et 2e RPC couvrent le reste de la ville (en haut à gauche et page précédente, des insignes de ces unités). Le «quadrillage en surface» est assuré par le 9e zouaves. Ci-contre, un hélicoptère lance des tracts au-dessus de la Casbah.

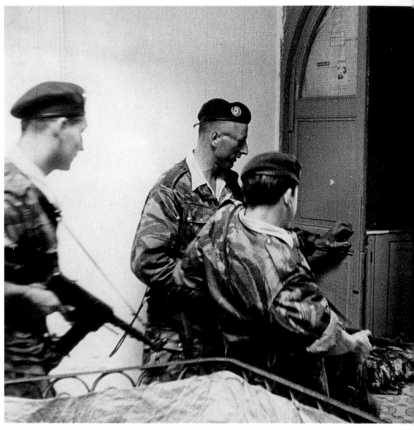

Le général Massu, doté des pouvoirs de police sur la ville, a la charge de rétablir l'ordre, de démanteler la Zone autonome d'Alger (ZAA) du FLN, dirigée par Yacef Saadi, située principalement dans la Casbah. Le FLN y dispose d'une forte organisation évaluée à 5 000 militants. Les hommes de Massu arrêtent massivement, fichent systématiquement et, dans les «centres de transit et de triage», situés à la périphérie de la ville, pratiquent la torture. Le leader du FLN Larbi Ben M'Hidi est arrêté le 21 février, et sera ensuite «suicidé». Les interrogatoires «très poussés» donnent des résultats.

••Il s'agit pour vous, dans une course de vitesse avec le FLN appuyé par le Parti communiste algérien, de le stopper dans son effort d'organisation de la population à ses fins, en repérant et en détruisant ses chefs, ses cellules et ses hommes de main.**••**
Massu aux cadres de la 10e DP in *Ma vraie bataille d'Alger*

C'est bien «le sang et la merde», comme le dit le colonel Bigeard. Les paras remontent les réseaux, découvrent les caches, débusquent les chefs du FLN installés dans la ville. Leurs moyens? L'électricité (la «gégène»), la baignoire, les coups. Il y a des sadiques parmi les tortionnaires, bien sûr, mais beaucoup d'officiers, de sous-officiers et de soldats vont vivre toute leur vie avec ce cauchemar.

Le centre de commandement du FLN, dirigé par Abbane Ramdane, est contraint de quitter la capitale. Massu a remporté une victoire.

Le général Massu annonce, en avril 1957, que le 3e RPC a arrêté 343 militants du FLN, 197 membres de l'ALN et 70 militants de groupes armés et qu'il a saisi 80 kilos d'explosifs. Les chiffres d'arrestations des «suspects» ne sont pas communiqués. L'armée a réussi à briser la grève générale décidée par le FLN.
L'arrestation de Yacef Saadi, le 24 septembre 1957 (à gauche), marque la fin de la «bataille d'Alger».

La torture dans la République

Le 28 mars 1957, le général Paris de La Bollardière demande à être relevé de ses fonctions. Il n'admet pas l'utilisation de la torture, qu'il a connue et combattue au temps de l'occupation allemande. L'aumônier de la 10e division parachutiste lui répond en déclarant que l'«on ne peut lutter contre la guerre révolutionnaire qu'avec des méthodes d'action clandestine». Paris de La Bollardière sera frappé de soixante jours de forteresse, le 15 avril 1957.

La torture n'a pas été seulement pratiquée pendant la «bataille d'Alger». Elle a été utilisée pendant toute la guerre d'Algérie, dans les campagnes, dans les villes et dans certains centres spécialisés, les DOP (Dispositifs opérationnels de protection), où tâches purement militaires et pratiques policières sont combinées. Leur mission consiste à «éradiquer» l'Organisation politico-administrative du FLN (OPA).

Le colonel Antoine Argoud, chef d'état-major de Massu, expose son point de vue dans une lettre adressée à Edmond Michelet, ministre de la Justice, en novembre 1959 : «L'exemplarité est obtenue par la sévérité et la célérité. Il existe une législation pour le temps de la paix et une législation pour le temps de la guerre. Or, nous ne sommes ni en temps de paix, ni en temps de guerre, mais en temps de guerre révolutionnaire.»

Le même langage est tenu par le colonel Broizat ou le colonel Trinquier. Inlassablement revient la même thématique : «Entre deux maux, il faut choisir le moindre. Pour éviter que des innocents soient injustement mis à mort ou mutilés, il faut punir les criminels, les mettre *efficacement* [souligné dans le texte] hors de nuire» (cité par Pierre Vidal-Naquet).

Mais nombreux sont les soldats qui éprouvent

Le 27 mars 1957, le général Paris de La Bollardière (à gauche), responsable du secteur est de l'Atlas blidéen, publie dans *L'Express* une lettre qui souligne les «aspects dramatiques de la guerre révolutionnaire à laquelle nous faisons face, et l'effroyable danger qu'il y aurait pour nous à perdre de vue, sous le prétexte fallacieux d'efficacité immédiate, les valeurs morales qui seules ont fait jusqu'à présent la grandeur de notre civilisation et de notre armée».

Les odieuse

le sentiment d'être pris dans une sorte d'engrenage tragique. Albin, personnage principal de l'ouvrage *Les Serpents*, incarne ce dilemme : «"Et maintenant? Ne croyez-vous pas que ces gens doivent parler?" "Je suis prêt à les faire parler avec vous." On apporta deux chaises et des cordes. On fit asseoir les deux prisonniers, qu'on attacha. Un soldat apporta une batterie électrique qu'il posa à côté d'eux. Les rebelles avouèrent, au bout de quelque temps, où était enterré le corps mutilé du lieutenant. La nuit venue, Albin se tira une balle dans la tête.»

Internements et regroupements

La loi du 26 juillet 1957 permet d'étendre à la France les dispositions fixées par la loi dite de «pouvoirs spéciaux». Elle prévoit la possibilité d'astreindre à résider dans les lieux qui lui seront fixés sur le territoire métropolitain toute personne qui sera condamnée en application des «lois sur les groupes

oratiques policières

Toutes ces plaies ont cloué mon client au lit pendant quinze jours, du dix Novembre 1955 compris, au 23 Novembre 1955 compris.

En foi de quoi je délivre le présent certificat, que je remets aux mains de son fils Boughéira Tahar.

A Bône ce vingt-six Novembre 1955

DOCTEUR
A BENSALAH
99, Rue MESMI...
BONE · Téléph. 45.43

Le 11 juin 1957, Maurice Audin, un jeune professeur d'université, est arrêté par les paras, avec Henri Alleg. Audin ne sera jamais retrouvé. Alleg publie un témoignage sur la torture en 1958, *La Question*.

DOCUMENTS
HENRI ALLEG
LA
QUESTION
☆m
LES ÉDITIONS DE MINUIT

"J'ai été affecté directement à Alger dans un régiment de zouaves cantonné au-dessus de la Casbah. C'est là que les «spécialistes» pratiquaient la «recherche du renseignement». Des Jeeps déversaient sans cesse des fournées de suspects dans la cour. Ils étaient frappés d'entrée. A grands coups de godillots ferrés dans les tibias. A midi, les «questionneurs» partaient déjeuner. [...] Les appelés volontaires prenaient le relais, mais des amateurs, ce n'est jamais ça.**"**
Pierre Hoyau, *Sur les pitons du Djurdjura*

de combat et milices privées». L'assignation
à résidence ainsi instituée ne prévoit qu'une modalité
d'application : l'internement dans un centre
de séjour surveillé.

On installe donc progressivement en métropole
et en Algérie, entre 1956 et 1959, des centres
d'assignation à résidence surveillée. On y achemine,
dès l'expiration des peines dont ils ont été frappés,
les militants nationalistes considérés par les services
de police comme les plus «actifs de la rébellion dont
le retour à la liberté, c'est-à-dire aux menées
séparatistes, présente un danger sérieux».

La IVe République, c'est aussi le temps des procès
massifs, et des condamnations à mort. Le garde
des Sceaux, ministre de la Justice, est alors François
Mitterrand. Ahmed Zabana, militant du FLN qui
a participé aux opérations du 1er novembre dans
l'Oranie, est jugé par le Tribunal permanent des forces
armées (TPFA) d'Alger; il est le premier condamné à
mort, exécuté à la prison Barberousse le 19 juin 1956.

Hommes, femmes, et enfants sont regroupés dans
des camps, des «villages», spécialement aménagés,

La décision de procéder aux regroupements des populations musulmanes est prise dès la fin 1955 par les préfets responsables du maintien de l'ordre. Le procédé, d'abord appliqué dans l'Aurès, s'étend à l'Ouarsenis, puis s'applique à toute l'Algérie. Dans les nouveaux centres où vivent les villageois déracinés, l'armée procède d'abord au recensement, au numérotage des maisons, à l'inventaire des familles, puis organise un système d'autodéfense. La solution la plus

VIE SAUVE aux condamnés à mort algériens !

pour les soustraire à l'influence néfaste des «rebelles». Traumatismes psychologiques du déplacement, du déracinement, de l'abandon matériel; bouleversement radical de la vie de ces populations. Près de deux millions de paysans algériens auront été ainsi déplacés, selon un rapport (confidentiel) établi en 1960 par Michel Rocard, alors haut fonctionnaire.

La bataille des frontières

En 1957-1958, dans le bled, les méthodes de combat des légionnaires du colonel Jeanpierre, des paras de Bigeard, et d'autres se révèlent payantes. Les «rebelles» convoyant l'armement de Tunisie et du Maroc (bases arrière du FLN) sont interceptés et pourchassés à l'intérieur des secteurs quadrillés par les régiments classiques.

évidente consiste à regrouper les populations autour de postes militaires déjà installés (en haut).

‟Depuis novembre 1954, près de 300 condamnés vivent dans l'angoisse du supplice. Ils ont été jugés par des tribunaux militaires dans des conditions telles que l'on peut affirmer qu'ils n'ont pas pu bénéficier des garanties élémentaires de légalité.”
Tract du Secours populaire français, 1957

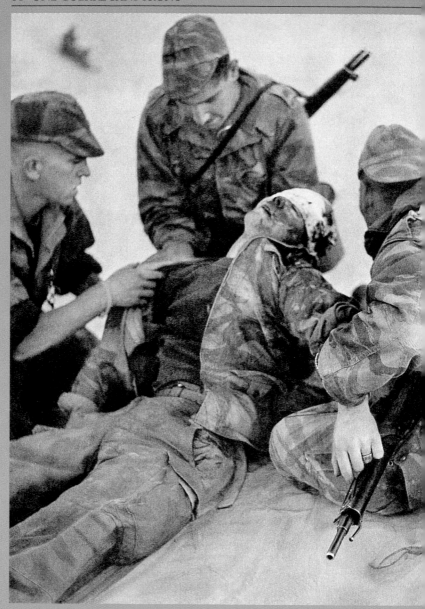

A la fin de l'année 1957, les autorités militaires françaises affichent leur satisfaction. La «bataille d'Alger» a été gagnée; les frontières désormais clôturées paraissent étanches; les troupes supplétives musulmanes (les harkis) ont considérablement augmenté (près de 100 000 hommes). Autour des SAS, des milices d'autodéfense se déploient dans les campagnes (400 villages). Mais l'Algérie vit toujours dans la guerre. De nombreuses zones de la Petite Kabylie, dans la presqu'île de Collo et les Babors, restent solidement tenues par des unités de l'ALN; c'est également le cas dans le Constantinois et la Grande Kabylie. La «pacification» et les méthodes utilisées pendant la «bataille d'Alger» ont provoqué, dans l'opinion publique française, un début d'interrogation sur le sens de l'engagement militaire en Algérie. L'allongement du temps de service militaire a permis d'augmenter les effectifs à 405 000 hommes en décembre 1957 (dont 380 000 pour l'Armée de terre).

Les hélicoptères et le renseignement deviennent les atouts des troupes libérées du travail policier d'Alger au début de l'été 1957. Cette prépondérance absolue des forces françaises à partir de 1957 – notamment grâce à l'édification d'un barrage électrifié le long de la frontière tunisienne, dit «ligne Morice» – permet à la «pacification» militaire de progresser rapidement. Les *katibas* (compagnies) de l'ALN sont réduites et isolées, contraignant ainsi les indépendantistes algériens à revenir au terrorisme, aux petites escarmouches et embuscades.

Le quadrillage du territoire destiné à assurer la sécurité intérieure de l'Algérie est terminé sous le commandement de Salan à la veille de la prise du pouvoir par de Gaulle en mai 1958.

Mais ces forces supérieures en nombre ne parviennent pas à écraser ou à démoraliser la «rébellion» de façon définitive. Le crédit politique des nationalistes algériens se trouve en plein essor dans les chancelleries du monde entier. Le FLN gagne à l'ONU la bataille qu'elle perd sur le territoire, entend-on souvent à l'époque. C'est oublier l'acharnement, la détermination des quelques milliers de maquisards à l'intérieur de l'Algérie et les 100 000 hommes de l'ALN stationnés aux frontières (au Maroc et en Tunisie). Mais la redoutable ligne Morice isole

Le lieutenant-colonel Jeanpierre (ci-dessous) commandait le 1er REP (régiment étranger de parachutistes). Le 29 mai 1958, son hélicoptère, touché par un tir de l'ALN, s'écrase aux environs de Guelma.
Ci-contre, le colonel Boumediene pose avec son état-major.

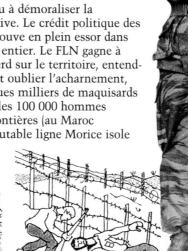

les combattants de l'intérieur, qui, à la fin de l'année 1958, manquent cruellement d'armes et de nourriture. Progressivement l'«armée des frontières», dirigée par le colonel Boumediene, prend le pas sur les maquisards de l'intérieur dans la conduite politique de la guerre.

La ligne Morice devient pratiquement infranchissable à partir du premier trimestre 1958 (ci-dessus, un soldat de l'ALN électrocuté). Les pertes subies par l'ALN sont les suivantes : 4 000 tués, 600 prisonniers, 1 000 blessés. Plus de 350 armes collectives (mortiers, mitrailleuses) et 30 000 armes individuelles (fusils ou pistolets automatiques) sont récupérées.

L'utilisation massive de l'hélicoptère, qui permet une grande rapidité d'intervention, est une des innovations majeures de la guerre d'Algérie. En 1958, 600 avions et 100 hélicoptères sont engagés dans le conflit. La silhouette de l'hélicoptère Sikorsky H34, la fameuse «Banane» devient familière aux populations. En janvier 1958, 60% des heures de vol accomplies en hélicoptère par l'aviation française l'ont été au-dessus du territoire algérien.

«La France ne supportera pas d'avoir cinq cent mille de ses enfants pendant cinquante ans en Algérie» (général de Gaulle)

Le 8 mai 1958, l'annonce de l'exécution de prisonniers militaires français par le FLN met le feu aux poudres. L'armée française, encore sous le coup du traumatisme indochinois, redoute l'abandon de l'Algérie. La IVe République meurt de son impuissance. Une foule européenne s'empare du Gouvernement général à Alger. Le général Massu crée un gouvernement de salut public et en appelle au général de Gaulle, qui accepte de former un gouvernement le 29 mai. Le 4 juin, le Général lance à Alger le fameux «Je vous ai compris».

Après avoir offert la «paix des braves» en octobre 1958, de Gaulle met en œuvre le «plan Challe» en 1959, terrifiant rouleau compresseur (avec utilisation du napalm), pour écraser les maquis de l'intérieur. Ces campagnes de «bouclage» couvrent sans difficulté une région après l'autre. Mais l'option du tout militaire ne suffit pas

à régler la question algérienne. Le 25 mars 1959, de Gaulle annonce que «l'Algérie est en question, son destin politique apparaîtra dans […] les suffrages de ses enfants». Le 27 août, il effectue sa première «tournée des popotes» en Kabylie, dans le Djurdjura, dans le Constantinois, dans les régions de Sétif et d'Orléansville. Ce voyage a une double visée : rassurer l'armée, tout en avançant vers un règlement politique du conflit. Le chef de l'Etat l'admet : «La France ne peut rester que si les Algériens le souhaitent.»

Le «plan Challe» débute le 6 février 1959. Il se développe d'ouest (l'Oranie) en est (le Constantinois). 10e DP, Légion et Marine s'attaquent aux monts Saïda. Du 18 avril au 18 juin, le rouleau s'avance sur l'Algérois et l'Ouarsenis. Du 5 au 14 juillet, paras,

GÉNÉRAL DE GAULLE, DEVANT LES OFFICIERS, A TIZI-OUZOU

Il faut vous implanter dans le djebel et y rester

légionnaires, tirailleurs du 11e BTA (bataillon de tirailleurs africains) s'en prennent aux forteresses du Hodna (opération «Etincelles»). A la fin juillet, «Jumelles» et «Pierres précieuses» attaquent la forêt de l'Akfadou dans la région d'Azazga. En novembre 1959, l'ensemble de la presqu'île de Collo, un des plus solides bastions ALN de la Petite-Kabylie, est à son tour inondée de troupes. Le bilan officiel du «plan Challe» (photos ci-contre et page suivante) est de 26 000 «rebelles» tués, 10 800 faits prisonniers, 20 800 armes récupérées. Certains chefs de l'armée, qui annoncent une victoire militaire sur le terrain, n'acceptent pas de solution négociée avec le FLN.

Après avoir affirmé le principe d'autodétermination, il propose, le 23 septembre 1959, «le gouvernement des Algériens par les Algériens appuyés sur l'aide de la France et en union étroite avec elle pour l'économie, l'enseignement, la défense, les relations extérieures».

La République algérienne «existera un jour»

Le 24 janvier 1960, au nom de l'Algérie française, les activistes pieds-noirs se heurtent aux gendarmes du service d'ordre. Une fusillade fait 20 morts (14 gendarmes et 6 manifestants) et 150 blessés avant que les paras n'interviennent. Les leaders du mouvement, Pierre Lagaillarde et Jo Ortiz, organisent alors un camp retranché au centre d'Alger. Le 29, dans une déclaration télévisée, le général de Gaulle condamne formellement les émeutiers. Isolés, ceux-ci font leur reddition le 1er février et abandonnent les barricades.

Des pourparlers s'engagent (et échouent) pour la première fois, au grand jour, à Melun, avec le FLN en juin 1960. Pourtant, de nombreux officiers et soldats français continuent de croire encore, dur comme fer, à la formule : «plutôt la mort que le déshonneur». Ils disent aux populations musulmanes ralliées : «La France ne vous abandonnera pas.»

Le référendum du 8 janvier 1961 sur la politique algérienne du général de Gaulle, après la manifestation FLN à Alger en décembre et le vote de l'ONU en faveur de l'indépendance, confirme le choix de la majorité des métropolitains : 75,26 % de «oui» à l'autodétermination. En Algérie, les consignes du FLN ont été largement suivies : avec 42 % d'abstention,

"Comment pouvez-vous écouter les menteurs et les conspirateurs ? Comment pouvez-vous douter, que, si un jour, les musulmans décidaient, librement et formellement, que l'Algérie de demain doit être unie étroitement à la France, rien ne causerait plus de joie à la patrie et à de Gaulle que de les voir choisir, entre telle et telle solution, celle qui serait la plus française !"
Général de Gaulle,
29 janvier 1960

Lors de la semaine des Barricades, le général Challe place dans les rues d'Alger trois régiments paras pour calmer les esprits. A la différence du 13 mai 1958, l'armée ne fraternise pas avec les insurgés.

MatcH HEURES TRAGIQUES
ALGER
DEPUIS LE DIMANCHE DES BARRICADES JUSQU'AU "SPÉCIAL DERNIÈRE HEURE" DES IMAGES-TÉMOINS

DE GAULLE PARLE : CHACUN EST DEVANT SA CONSCIENCE

39 % de oui, 18 % de non, les résultats obtenus convainquent le général de Gaulle de négocier avec le Gouvernement provisoire de la République algérienne (GPRA).

Le putsch des généraux : le contingent ne marche pas

C'est alors que le général Salan, qui s'oppose à la politique du général de Gaulle, croit le moment venu de préparer une sorte de contre-révolution avec l'aide de l'armée d'active, découragée de se battre, et des Européens en proie à la panique. Des contacts se nouent en métropole. L'Organisation armée secrète (OAS) voit le jour. La révolte contre le général de Gaulle ne mobilise pas seulement des illuminés qui rêvent d'une Algérie impossible, mais aussi une partie de l'armée.

Le 11 avril 1961, le chef de l'Etat, lors d'une conférence de presse, confirme sa nouvelle orientation : «La décolonisation est notre intérêt,

Décimée dans les djebels par l'action conjuguée du plan Challe et du travail des SAS, le FLN refait surface dans les grandes villes algériennes, au moment du voyage de De Gaulle, en décembre 1960. A Alger (ci-dessus), les manifestants défilent aux cris de «Yahia de Gaulle!» «Yahia Algérie!», «Yahia FLN!» Le drapeau algérien est brandi pour la première fois dans les rues de la capitale. L'ordre est assuré par la 25e DP et le 18e RCP. 96 Algériens et 13 Européens seront tués lors de cette manifestation.

et par conséquent notre politique.» Quelques-unes des plus hautes figures de l'armée française décident de préparer un putsch contre lui. Le général Challe, arrivé clandestinement à Alger, se lance dans l'aventure d'un coup d'Etat contre la République, pour le maintien de l'Algérie française, avec les généraux Jouhaud, Zeller et Salan.

Le vendredi 21 avril 1961 à minuit, les «bérets verts» du 1er REP marchent sur Alger et s'emparent du gouvernement général, de l'aérodrome, de l'hôtel de ville, du dépôt d'armes. En trois heures, la ville est aux mains des putschistes. Tandis qu'à Alger Salan se fait acclamer par la foule, à Paris, on craint le coup d'Etat militaire et un débarquement sur la capitale. De Gaulle décide alors l'application de l'article 16 de la Constitution conférant au président de la République quasi tous les pouvoirs. Le dimanche soir, il intervient à la télévision sur un ton sans réplique. Il dénonce «la tentative d'un quarteron de généraux en retraite» qui possèdent «un savoir-faire expéditif et limité», mais qui ne voient le monde qu'«à travers leur frénésie».

Sur les militaires du contingent qui forment l'essentiel des troupes stationnées en Algérie, l'effet est foudroyant. Entendue sur les transistors que les officiers n'avaient pas réussi à confisquer, l'allocution légitime les résistances, les passivités de ceux qui s'opposaient à leurs officiers «challistes» et fait basculer le contingent dans l'opposition au putsch.

Les derniers soubresauts de l'Algérie française

Après le putsch manqué d'avril 1961, de nombreux pieds-noirs vont grossir les rangs de l'OAS. Beaucoup applaudissent l'activité désastreuse de cette organisation (plasticages, tueries aveugles d'Algériens musulmans). Tous, pourtant, ne sont pas des gens d'«extrême droite», mais ils

Les appelés ne «marchent» pas, parce qu'ils n'ont pas confiance dans la parole des putschistes [ci-dessus, les quatre généraux]. Après six années, la guerre s'érode, le discours guerrier de la victoire, établi, rigoureux, ne construit plus des «machines» de combat, mais des attitudes de simulacre de guerre.

«Le coup d'Etat a échoué. Tant pis et tant mieux! Ces putschistes avaient promis de libérer le contingent après dix-huit mois de service, en cas de réussite. Pour moi, c'était la liberté; auraient-ils tenu parole?»
Martine Lemallet,
Lettres d'Algérie

s'accrochent à leur terre natale.
En secret, au fond d'eux-mêmes,
ils savent la partie perdue, mais
ne veulent pas perdre la face.

Les accords d'Evian sont signés
le 18 mars 1962, pourtant la guerre
n'est pas finie. Au lendemain
des négociations entre le GPRA
et le gouvernement français, les
responsables de l'OAS proclament,
dans un tract du 21 mars 1962,
que les forces françaises sont
considérées «comme des troupes
d'occupation» en Algérie. Les activistes partisans de
l'Algérie française prennent le contrôle de Bab-el-Oued.

Lors de la «bataille de Bab-el-Oued» (photo ci-dessous), les blindés ouvrent le feu. Les T6 survolent les toits à basse altitude et mitraillent les terrasses où des tireurs isolés se sont embusqués.
A Bab-el-Oued toujours, le 23 mars, neuf jeunes appelés sont abattus dans une embuscade montée par un commando Delta de l'OAS.

"Le 18 mars 1962, à l'heure de la sieste, je suis réveillé par une courte rafale de PM. Me précipitant dans le baraquement voisin, je me trouve en face d'un militaire gisant sur le sol, hurlant de douleur, abattu accidentellement par un camarade inconscient qui nettoyait sa Mat 49, le chargeur engagé dans l'arme. Quelques minutes après, nous dévalions sans escorte vers l'hôpital de Bougie, en GMC le blessé allongé dans mes bras, entre le chauffeur et moi : un visage inconnu de plus en plus livide, des cris de souffrance, une "maman" qu'on implore quelquefois, un corps crispé qui se relâche brutalement, et l'hôpital, enfin, où on me demande : "Que voulez-vous que nous fassions d'un mort?" Vingt ans! Quelques mois de service militaire en France, une semaine d'Algérie; j'ai oublié son nom, mais quelques jours après, des parents de l'Ouest de la France apprenaient que leur enfant était "Mort pour la France". C'était la veille du cessez-le-feu!"

Jean-Pierre Gaildrauld,
Les Années algériennes

Ils transforment le quartier en un énorme fort Chabrol, attaquent des camions militaires. La «bataille de Bab-el-Oued» fait 35 morts et 150 blessés.

Le 26 mars 1962, la fusillade de la rue d'Isly, où l'armée française tire sur des Européens, fait 46 morts et 200 blessés, dont une vingtaine ne survivront pas, tous des civils algérois. En avril et mai 1962, les assassinats d'Algériens musulmans se multiplient, les commandos Delta de l'OAS pratiquent la politique de la terre brûlée : incendies de la grande bibliothèque d'Alger (60 000 volumes) ou de la raffinerie du port d'Oran...

C'est la fin, le reflux. Les Européens d'Algérie quittent en masse leur terre natale, en direction de la métropole – que la plupart ne connaissent pas... Le 3 juillet 1962, à l'issue d'un référendum, la France reconnaît l'indépendance de l'Algérie.

« Lucien s'engagea sur le sentier, à la rencontre des siens. Remontant la colonne, il les retrouva tous, Garcia, la casquette retournée à la Fausto Coppi, Bermot, le sourcil ordinairement étonné, le clin d'œil pervenche, la joue imberbe, mais humide d'une morve poussiéreuse, Guichard, qui marchait jambes écartées, et portait son fusil mitrailleur comme une faux, sur le ventre, tous crasseux, répandant des effluves ammoniacaux, la barbe piquetée de pellicules. »

Claude Bonjean, *Lucien chez les barbares*

CHAPITRE IV
JOURS ORDINAIRES

CAMPAGNE NATIONALE D'AIDE AUX SOLDATS D'ALGERIE ET A LEURS FAMILLES

❝Ce pays, je crois que je l'aime sans savoir pourquoi. Ce qui m'emeut, c'est la guerre qui se cache derrière ce peuple qui, j'en suis convaincu, ne me veut pas de mal.❞
Pierre Boudot,
L'Algérie mal enchaînée

Les soldats d'Algérie, les appelés surtout, ont effectué un service militaire particulièrement long : vingt-huit mois, en moyenne, pour la majorité d'entre eux. Ils ont fait ce service dans un pays éloigné, différent... En quittant Alger ou Oran, ils ont vu des villages (douars) misérables, qu'ils ont laissés derrière eux, déjà loin, momentanément oubliés ; entendu la rumeur confuse des cris d'enfants au passage de leur convoi ; regardé à la sauvette des plans superbes de massifs, champs «brûlés» par le soleil, coins de verdure rares, isolés... tout s'est enchaîné jusqu'à leur rendre ce pays abstrait.

"Que cette Algérie est donc belle! Tout éclate dans l'œil, les chants, les couleurs, les rythmes, les odeurs."
Jacques Higelin,
Lettres d'amour d'un soldat de vingt ans

La découverte d'une nature sauvage et magnifique

Des hommes endurcis, des fonctionnaires et même des intellectuels de la métropole, après quelques mois passés dans ce pays resplendissant de la beauté dépouillée et pauvre des rivages de la Méditerranée, deviendront pour quelques-uns ses fils dévoués et ses amants passionnés. Ils ont retrouvé l'Auvergne dans ses sentiers de chèvres et ses vallées tortueuses, le Languedoc dans ses vignobles plats et ensoleillés,

le massif des Maures dans la géométrie de ses collines qui auraient pu être dessinées par Cézanne. Ils ont découvert un nouveau pays des merveilles qui semblait être fait sur mesure pour porter « le doux nom de France ». Car l'Algérie exerce une indéniable fascination sur les tempéraments les plus divers. Cette « intoxication algérienne » frappe aussi bien des gens de gauche que des gens de droite et n'a rien d'une excuse artificielle.

Mais il n'y a pas de territoire vide et pur, avec ses montagnes et ses vastes plaines grillées de chaleur, que le soldat va dessiner, meubler, inventer. Au fond du « tableau » existent des silhouettes, des visions à peine aperçues, des tremblements : ceux de la guerre des combattants, et son cortège d'horreurs, de représailles.

Une grande diversité d'expériences

Tous les appelés ne vivent pas les mêmes expériences, en fonction, d'abord, des époques : années 1956-1957, terribles, où les *katibas* de l'ALN sont à l'offensive ; années 1959-1960, celles du « plan Challe »

❝Seignerolles s'éprenait de ces paysages âpres. Chaque après-midi, il inventait un prétexte pour se rendre, six cents mètres en-dessous du poste, à la fontaine du village, ombragée de micocouliers. Il aimait le bassin rectangulaire, ses robinets de cuivre, les briques rongées sous le réservoir. Au printemps, des fauvettes et des rouges-gorges jacassaient dans des bosquets d'ormes derrière la minuscule mosquée.❞

Olivier Todd,
La Négociation

et des rares maquisards, affamés, terrés dans des
grottes; années 1961-1962, avec la folie meurtrière
de l'OAS...

Les lieux également sont différents. Il y a ceux
qui restent dans les postes de commandement (PC)
d'unités implantés en ville, casernes bâties dans
le style de celles des garnisons en métropole.
Et puis, il y a ceux qui se retrouvent à la campagne,
le «bled»; là où, souvent, rien n'a été prévu pour
les recevoir, comme en témoigne Jean-Pierre Vittori,
dans *Nous les appelés d'Algérie* : «J'ai été affecté
dans l'Ouarsenis, sur un piton où il n'y avait rien.
Pourtant, nous étions en octobre-novembre 1956.
Nous étions une centaine, et il a fallu construire
le poste. Tous les deux ou trois soirs, on nous
allumait des hauteurs.»

Enfin, les occupations sont différentes.
Ce n'est pas la même chose de conduire la voiture
d'un officier supérieur, de remplir des formulaires
dans un bureau militaire à Alger ou de se retrouver
dans un poste perdu à la frontière tunisienne...

L'hébétude existentielle

L'éloignement est difficile à supporter avec, en plus,
la routine, l'ennui, le temps qui semble suspendu et
ne jamais passer. Olivier Todd, dans *La Négociation*,
raconte : «Il remonta vers le PC. Des soldats
balayaient avec nonchalance l'esplanade jouxtant
la maison après avoir pelleté la boue. Devant eux
des gardes, quelques corvées, quinze heures mornes,
l'éternité. Ils se réveillaient, mangeaient, prenaient
une faction.»

Il faut construire, bâtir pour les autres, s'implanter
même de manière précaire, ainsi que le mentionne
Serge Groussard dans *La Guerre oubliée* : «Face
à la plongée vers l'ouest et au Sidi Okba, se dressait
le mirador, avec sa cabine aux murettes blindées
et ses deux projecteurs. Les tentes se groupaient
en un cercle. Au centre du dispositif, le camion PC.
C'était miracle qu'on eût réussi, malgré les pentes
à 60° et les pistes à caillasse, à hisser jusqu'ici tout
un lot de véhicules. [...].Plus au nord, au bout
de l'éperon, les tranchées de la position avancée,

d'où on surveillait les mechtas d'Oubane et d'Aïn Taheur, semblaient des traînées de cendre dans la rocaille. Pas de point d'eau sur le Raef. Il fallait descendre jusqu'à l'oued, et la remontée avec les seaux était diablement longue, surtout lorsque l'on se faisait seringuer. »

Les appelés, quelles que soient les périodes du conflit algérien, boivent jusqu'à la lie la coupe de l'hébétude existentielle.

Avec ce flux d'images monotones, répétitives, donc forcément tristes – un de ces «travellings» infiniment étirés sur la banalité, la lenteur de la vie quotidienne.

L'entre-soi, la sexualité

Au début de la guerre, mais aussi après, la chambre individuelle n'existe pas. Les douleurs inavouables ne trouvent pas leur intimité. Les soldats suffoquent dans une sorte de prison intérieure. Tout se vit en collectivité, et l'on tente d'aménager un entre-soi. L'ennui, les jours qui passent, le danger invisible détraquent l'horloge interne de la réflexion et des affects. Dans la plupart des récits d'appelés apparaissent surtout des rêves affamés de sexe, de femmes; des apparences d'enveloppes charnelles se mettent à flotter. Dédoublement, moments uniques entre éveil et conscience, démultipliés par le souvenir de la jeune fille, femme désirée

❝Je voudrais que vous m'envoyiez *L'Express* et *Le Canard enchaîné*, les derniers numéros. Enveloppez-les bien, personne ne les verra car je les lirai en cachette. Oui, j'ai une astuce. Le journal de l'armée, une feuille de chou hebdomadaire, appelée *Le Bled*, a le même format. J'ouvre donc *Le Bled*, j'étale *L'Express* ou *Le Canard* dedans et je peux les lire tranquillement. Les off et les sous-off n'y verront que du feu. Ou plutôt, ils verront le titre, *Le Bled*, et ils diront : «Ah! le brave petit piou-piou qui s'intéresse aux campagnes militaires.» Bien joué, non!**❞**

Serge Pauthe,
Lettres aux parents

qui n'appartient qu'à chacun. Masturbation solitaire, «exercice» pour surmonter la torpeur des sens, chasser le doute, évacuer l'angoisse…

La chaleur intense, vibrante, lumineuse, fond les formes et les contours, livrant l'individu-soldat à ses fantasmes, toujours inassouvis. Ce sont les hantises de la mort et de la guerre dans ce Sud éloigné, la soif d'innocence qui dérive vers une forme de folie, les rumeurs qui font de l'esprit, en proie aux passions, comme une chambre d'écho.

Sur cette question, délicate, de la sexualité, la mémoire est imbibée de souvenirs faussement joyeux, et toujours honteux. On va au «bordel

❝J'allais voir les soldats dans les tentes. [...] J'étais aussi un corps de jeune fille en gestation. De temps en temps l'un se risquait à vérifier la venue de mes seins. Jamais plus. Je me prenais à rêver d'un paradis où je ressemblais à ces pin-up aux seins opulents qui décoraient les chambrées.❞

Virginie Buisson,
L'Algérie ou la mort des autres

militaire de campagne» (BMC), comme on suit
un chemin balisé, de façon obligée. En jouant
les fanfarons mais avec la peur de l'impuissance;
le sordide des rapports sexuels rapides; les lieux
sinistres de l'acte; le contrôle médical humiliant,
illusoire parade aux maladies vénériennes. Beaucoup
de soldats auront, de cette manière, leurs premiers
rapports sexuels, par la guerre, par l'Algérie.
Mais comment faire autrement?

   Succédanés illusoires de l'amour... que les femmes
européennes («pieds-noirs») partagent ou tentent
de donner à leur façon; mais auquel le plus souvent
elles se dérobent, par crainte, par tradition

❝Le mobilier de ma
mini-chambre est
rudimentaire : un lit,
un tabouret, deux piles
de caisses de munitions
ouvertes sur le côté qui
me serviront de
commode, de classeur
et même de table,
mais pas de penderie.
Il en existe une seule,
collective, pour tous
les sous-officiers, ils y
pendent leurs tenues
numéro un. Au mur,
mon premier soin est
d'enlever les «pin-up»
qui le tapissent et de
les remplacer par des
cartes postales de ma
belle Savoie.**❞**
Guy Pitton, *Onze mois
chez les bérets noirs*

(nous sommes en Méditerranée). Les relations
sexuelles sont rares entre jeunes filles
européennes ou musulmanes et soldats
du contingent.

Sortir, parler

Y a-t-il un semblant d'espoir au fond
de ce périple solitaire? Dans la pénombre
de la chambrée, adossés à leur lit, fermés

aux discussions, certains gardent le silence.

Ils se posent volontairement à l'écart du groupe, portant peut-être l'illusion d'une quête étrange, mystique ou, simplement, le poids du vide. Ils préfèrent ignorer la communication – Jean-Pierre Bardery, dans *La Mémoire longue :* «Ces heures d'attente sont éprouvantes pour les nerfs. L'oisiveté sans la détente, l'inaction sans le repos. Impossible de se sentir "relaxe" lorsqu'on sait qu'on peut être appelé à tout moment au décollage. Du coup, les idées moroses affluent.»

Gorges sèches et cervelles embrumées... Péniblement, les hommes sortent de leur périmètre étouffant, le cérémonial de la guerre se remet en marche. Il faut marcher pour traquer, repérer, sans cesse informer la hiérarchie qui se trouve ailleurs. Lourde mise en scène visuelle du déploiement des soldats, le long des oueds, dans les montagnes ou les vallées. Il n'y a là pas de place pour l'héroïsme, mais une «puissance» qui se doit d'être vue, regardée par les populations indigènes. Aperçue de l'extérieur, la «puissance» militaire

"Dix-neuf heures. On m'a apporté la lettre. Je l'ai ouverte, il y a une heure. Je l'ai enfouie au fond de ma poche. Que dire? Autour de moi la vie continue. Le camion encore chargé de caisses de bière s'enfonce dans le champ, au creux d'un sillage de pierres et de terre. Personne autour de moi à qui parler. Personne pour comprendre. Les heures ne viennent pas."

Maurice Corbel,
Les Eclats du Djebel

doit défier, s'avancer, s'annoncer. Le «rebelle», aux aguets, être étrange et mystérieux, peut se trouver impressionné. Le déroulement des opérations – frapper par les armes, se faire poser en hélicoptère, les fameuses «bananes», en haut d'un piton – ou du quadrillage – s'avancer en rangs déployés, l'arme au poing – doit de toute façon frapper l'imaginaire.

La mort qui rôde

Pour les soldats, l'épouvante de la guerre, de l'adversaire invisible, est là. Malgré les bruits de négociation, d'échafaudages de plans politiques... Le soldat s'accroche à son fusil, et à ses souvenirs qui se perdent. Il craint la mort, qu'il rêve, de toute façon impensable. Surtout durant la garde de nuit, le pire des moments, celui de la solitude, des bruits suspects, de la «mort» qui descend. Temps interminable – quatre factions de deux heures entrecoupées de quatre périodes de repos de quatre heures –, avec les objets familiers qui se transforment, la crainte du moment de relâchement, du sommeil... pouvant coûter la vie aux camarades du poste. Tout cela explique les méprises du combat de nuit, les affolements... Le jour, désolation mélancolique et terreur livide du paysage après une embuscade, et la mort atroce de camarades. Drame-décor évoqué dans *Les Serpents* de Pierre Bourgeade : «Ils avaient tendu le piège peu après l'entrée du défilé. Ils avaient descellé d'énormes blocs rocheux qu'ils précipitèrent

Cette arme qu'il collait à lui, qu'il éprouvait en lui, dans la chair même de son épaule, soudain participait de lui. Elle devenait lui. La puissance qu'elle lui donnait était la sienne.
Daniel R. Bourgoin,
Les Marches de Saint-Germain

sur le Dodge. Le convoi vint donner dans l'embuscade comme un homme qui court vient donner du front contre un mur. Les Arabes tombèrent du ciel, sortirent des murailles, jaillirent du désert. Ils étaient vêtus de treillis verts, chaussés de Pataugas, coiffés de passe-montagnes, armés de Kalachnikov et de couteaux. Le combat dura à peine quelques minutes. Quand les nuages de poussière et les fumées de l'essence enflammée se dispersèrent, il n'y eut plus que des corps égorgés, des véhicules calcinés, l'odeur de la couenne brûlée. »

❝J'ai soif, terriblement. Les rations, composées d'aliments complètement deshydratés, exigent beaucoup d'eau. Il n'y en a nulle part. Le soleil est sur tout cela. Nous marchons.❞
Pierre Leulliette,
Saint Michel et le dragon

Il y a la mort des siens, vue tout de suite;
ou les corps retrouvés après, quelquefois atrocement
mutilés (notamment au niveau des organes sexuels).
Et il y a la mort de l'autre, le cadavre de l'adversaire
– Jean-Pierre Gaildraud, dans *Il était une fois
les années algériennes* : «Comment oublier

ce combattant de l'ALN, abattu à Chréa au cours
d'un banal exercice de ratissage effectué par les EOR
[élèves officiers de réserve] de Cherchell? Atteint
d'une balle en pleine tête, il ne restait plus qu'un peu
de cervelle sanguinolente au fond de la boîte
crânienne; il nous fallut le «traîner», le tirer,
le «garder» la nuit, pour le protéger des chacals

Marc Garanger, appelé à Aïn Terzine depuis mars 1960, a photographié pendant son service en Algérie la vie d'un camp de regroupement, les opérations (page suivante), les appelés et puis les gens. Cette vieille femme (à droite) vient se plaindre auprès du commandant du camp que sa fille a été violée par des militaires français. Ci-contre, une messe en mémoire d'un soldat mort en opération est célébrée par un aumônier militaire.

••Florent achevait seulement sa bleusaille, qu'il gardait encore fraîchement en mémoire le trouble terrible qu'il avait éprouvé quand, revenant d'une courte opération en montagne vers le poste, un petit groupe de quatre anciens lui avait fait monter la garde devant une mechta, pendant qu'à tour de rôle ils avaient joui d'une jeune Kabyle dont le seul crime était d'avoir un père ou un frère absent de chez elle et dont elle était bien incapable de dire où ils avaient disparu.••
Pierre Lamarque,
*Tombeau pour
quelques soldats*

intéressés par l'odeur et nous protéger tout court.
Je n'avais encore jamais vu de mort! Comment
oublier ce corps brûlé au napalm, aux traits intacts,
qui se réduit en poussière quand on le touche!»

L'engrenage de la violence

Mais, surtout, la mort de ses propres camarades
attise les vengeances, réveille de vieux démons,
pousse aux cruautés. Drames, représailles sans

Cet interrogatoire
musclé d'un berger
en Kabylie par des
militaires français fait
hélas partie des scènes
de la vie ordinaire.
A droite, en haut,
des appelés se font
photographier avec
«leur» prisonnier.

échappatoires possibles… la guerre se transforme
en accès de fièvre, incontrôlé, une fatalité sans issue.
Une folie seulement? Pas tout à fait. La guerre est
une construction consciente, élaborée.
Elle a la faculté d'être pensée par ceux qui la dirigent,
donc par ceux qui la font.
   Ainsi, Maurice Mateos Ruiz, âgé de vingt-quatre
ans en 1957, instituteur sorti de l'école d'officiers

de réserve de Cherchell, et qui fut
chef de section à une vingtaine
de kilomètres de Sidi Bel-Abbès,
dans l'Ouest algérien, raconte
les évolutions, les étapes dans
la mentalité des soldats. Dans
son manuscrit, inédit, il identifie
trois phases : une première
où la guerre ne semble pas être
une préoccupation essentielle;
une seconde où l'appelé se prend
au jeu, après un accrochage,
à l'illusion d'être (enfin) un soldat
avec «des exploits comparables
à ceux des parachutistes»; et puis
la troisième : «Deux copains sont
tués, et un troisième s'en sortira
miraculeusement, après une grave
blessure. Alors, changement
complet : les "moutons"
indifférents que j'ai connus à mon
arrivée se transforment en loups
féroces. La haine les rend capables
de toutes les stupidités. [...]
Pis, des hommes qui n'appréciaient
guère les interrogatoires musclés
parfois pratiqués au sein de la
compagnie, et avaient le courage
de me le dire, se portent volontaires
pour y participer. Ils sont devenus
des tortionnaires en puissance.»

Les «Max»

De retour d'opération, les dialogues
ne se nouent pas vraiment, restent
douloureusement enfouis au fond
de soi, ou alors les mots fusent,
très vite, brutalement, comme
pour exorciser une peur. Le langage
de la guerre d'Algérie s'est transmis,
de génération en génération, comme
un patrimoine piégé. Les nouveaux
arrivants héritent d'un capital

de soucis et... de mots. «Tous les soldats s'appelaient Max, entre eux. C'était le tic d'une génération», dit Philippe Labro dans *Des feux mal éteints*. Les «Max» ne vivent pas un mélodrame perpétuel, même si les crises sont étouffées, différées, la souffrance pas fière traînée jour après jour. Il y a aussi des moments de «comédie» : «Comme il est de tradition dans un certain nombre d'armées, paraît-il – ça s'appelle l'"utilisation des compétences" –, on a confié la garde de la soute à munitions au plus gros fumeur du régiment. Elève des beaux-arts,

Après de telles marches (quatre jours de chasse à l'homme), il est presque obligatoire de se saouler. La soif a été trop forte. Les nerfs craquent. Et pendant des heures, nous buvons, atrocement, des canettes de bière, par dizaines. Ce sera ainsi pendant un an. Le meilleur d'entre

il est, dans la vie peintre abstrait. Tranquille et absorbé dans cet immense danger, la cigarette ardente, permanente, le préposé fait de la peinture abstraite» (*La Paix des braves*, Jean-Claude Carrière).

Boire pour oublier

L'alcool, d'abord simple dérivatif, progresse et fait des ravages. Peut-être pour oublier, par désœuvrement, pour ne pas se souvenir des drames logés dans les consciences. Le soir arrive, avec sa nuit étoilée. Dans de somptueux coins d'Algérie, les visages se découpent progressivement dans la nuit. Jeu d'ombres qui cerne progressivement

nous ne peut échapper à cette loi. Et tard dans la nuit, c'est la grande beuverie, les chansons obscènes, les rixes, les cris.

Benoît Rey,
Les Egorgeurs

les tourments d'une jeunesse, fait apparaître
d'infimes cicatrices intérieures, détache et souligne
les cernes qui abîment la pureté du regard.
Ceux qui ont beaucoup bu sont pris d'un inquiétant
tremblement, et tombent droit dans un sommeil
sans rêves, noir. Pour tous, en dormant, revient
le masque lisse d'une innocence, perdue.

L'armée instaure, d'habitude, des rapports entre
les individus d'une grande dureté, sécheresse.
La guerre, si elle maintient cette tradition, révèle
aussi l'expression d'un « bonheur » de se serrer

❝Merci pour le colis reçu et déballé. Comment pouvez-vous toujours penser à moi avec tant d'amour et de délicatesse? Mon père, ma mère, je vous aime. L'armée, la France, l'isolement, l'éloignement, m'apprennent à vous aimer à en pleurer.❞
Serge Pauthe,
Lettres aux parents

ensemble face à une menace.
Et puis, malgré tout, les lettres
et les colis reçus, la présence
de petits animaux mascottes,
comme le fennec, les journaux
intimes aménagent une issue
humaine au quotidien.
Cette vie de soldat, au ras du sol
de la guerre, connaît des moments
anxieux et paisibles, des joies,
appréhende les impasses
et les occasions ratées
d'une Algérie heureuse.

« Les images, les visages et les cris, je les vois et je les entends. Régulièrement, ils me trouvent et me rattrappent. Pour quelle raison, sous quelle influence, je n'en sais rien. C'est une marée qui ramène les débris de mes vingt ans. »

Jean Debernard, *Feuille de route*

CHAPITRE V
LA MÉMOIRE ET L'OUBLI

« Nous ne sommes plus très loin de Paris. Dans les wagons, les gusses se taisent. Les chants, les manifestations d'allégresse retombent. Le cœur n'y est plus. Les visages sont tendus, fermés. Nous nous sommes déjà dit adieu. **»**

George Mattéi, *La Guerre des gusses*

DE JEUNES PATRIOTES

SONT EMPRISONNÉS.

Pour avoir refusé de combattre le Peuple Algérien, et en avoir informé le Président de la République.

Les refus de guerre

Parmi les centaines de milliers d'appelés qui se sont succédé en Algérie, quelques-uns ont refusé d'accomplir ce «travail», dont tout le monde a su en métropole, au fil des années, qu'il était devenu inutile. Ils ont vu les corps démembrés, émasculés de leurs camarades, et ceux déchiquetés des adversaires; ils ont entendu les cris des hommes «interrogés», torturés, et le souvenir de l'occupation allemande et les pratiques de Vichy (dix ans à peine) étaient présents à leur esprit; ils ont refusé le cérémonial de la violence ordinaire.

De nombreux soldats ne sont pas politisés – pour, ou contre, l'abandon de l'Algérie. Ils constatent

Parmi les rares cas de refus radicaux de la guerre d'Algérie, il faut signaler les parcours de Noël Favrelière, sergent parachutiste qui, le 19 août 1956, déserta en compagnie d'un prisonnier pour ne pas se rendre complice d'assassinat (son témoignage *Le Désert à l'aube* parut en 1960) et de Jean-Louis Hurst, instituteur, qui déserta en septembre 1958 et fonda le réseau Jeune Résistance (il publia en 1960 *Le Déserteur*).

POURQUOI IL NE FAUT PAS DÉSERTER

par SINÉ

parce que c'est défendu

parce que c'est un mauvais exemple

l'«innocence» de la victime, et la «brutalité» du bourreau, défendent la Morale contre une violence gratuite. Ils estiment – on retrouve cette sensation dans nombre de lettres, romans et récits intimes – que l'on pouvait faire l'économie de cette guerre ou, tout au moins, faire une «guerre propre», retrouver la raison.

L'absence de perspectives politiques explique que cette attitude morale n'ait entraîné qu'un très faible nombre de «refus de guerre» – selon les chiffres officiels donnés par l'armée française : 470 objecteurs de conscience condamnés entre 1955 et 1962, 300 à 400 déserteurs et insoumis.

Pour ceux qui désertent, il y a, en plus du refus moral, un choix politique : toute violence à l'encontre de l'indigène est par essence gratuite (agressive), là où celle du colonisé est légitime, nécessaire (seulement défensive). La plupart de ces soldats-militants sont imprégnés des lectures de Frantz Fanon (édité par François Maspero pour la première fois en 1959) sur la violence, comme moteur central de l'histoire pour les peuples colonisés. En 1962, au moment où l'indépendance algérienne est proclamée, le «tiers-mondisme» de Fanon est à son apogée. Trop tard pour l'Algérie. La guerre est finie.

Le 4 avril 1956, un aspirant engagé, Henri Maillot, (ci-dessous) déserte à la sortie d'Alger. Le camion qu'il conduisait transportait 140 pistolets-mitrailleurs, 57 fusils et 84 revolvers. Il rejoint le maquis monté par les communistes dans la région d'Orléansville. Il sera tué lors d'un accrochage quelques mois plus tard.

❝On peut se demander si aucune guerre a jamais suscité autant de dialogues avec soi-même, de délibérations intérieures, de jugements contrariés. Réflexion faite, ces soldats ne pouvaient en vouloir aux Algériens que parce qu'ils étaient là, vivant sur cette terre. Leurs questions étaient sans réponse.❞
Jacques Guermonprez, *Esprit*, 1958

et puis, surtout, ça fait des trous dans les rangs…

Jean Com

❝Les quillards font leurs adieux. Dans quatre jours, chez soi. On sera mal à l'aise. On sera abruti par la traversée, dépaysé par la France. On se taira à jamais.❞
Daniel Zimmermann,
Nouvelles de la zone interdite

Le retour en métropole

Dans les camions qui ramènent les soldats vers les ports, mêlées à l'excitation des sentiments du départ (enfin, «la quille»!), des images enfouies tentent de remonter vers la conscience. Le récit intérieur, non partagé avec les hommes assis en face de soi dans le camion, se déroule à la lisière du conscient et de l'inconscient, met au jour des événement terribles (la mort d'un ami), joyeux (quelques fêtes ou sorties), des impressions souterraines.

Alors qu'ils regardent les paysages algériens, les campagnes, les villes d'embarquement (Alger, Bône, Oran...), les métaphores abondent, exprimant la «magie» d'un lieu qu'ils ne reverront jamais plus, la peur qui s'en va, apparemment. Puis, dans le bateau qui les emmène vers la France, les récits-monologues intérieurs et «délibérations», interrompus, reprennent, s'entrelacent pour tenter de tisser une histoire, leur histoire. Il y a de la joie dans ce départ, mais aussi de la mélancolie; une atmosphère dense et quelquefois lourde au fond de soi.

Partis adolescents, ils reviennent endurcis, cyniques, désabusés. En hommes, tout simplement, avec cette vie étalée sur deux ans et demi. Morcelée.

Appel d'air, glacé, à la descente du train. Les images de l'Algérie, au bout d'un long voyage de retour, se présentent encore, et, déjà, ne représentent plus rien.

NT Désiré DEPUYLONTAN

L'Algérie, territoire de lumière, se trouve recouverte d'une surface noire. Il n'y a pas, chez la plupart de ceux qui reviennent, de honte ni de culpabilité. Ces sentiments-là viendront après, se présentant comme des signes épars, des traces enfouies.

Dans ces années-là, les temps ne sont pas à la discrétion, l'écoute, la pudeur. L'époque des *sixties* est celle de l'excès, l'image (de cinéma) n'a plus droit à l'existence si elle n'éblouit pas, et le son des guitares électriques n'a pas d'autre raison que d'assiéger et d'assourdir. Alors les appelés se tiennent à l'écart, solitaires. Pas question d'exploiter d'anciennes souffrances. Ils se réfugient pour certains dans le territoire de l'écriture.

"Que l'on écoute l'un de ceux qui en sont revenus, que l'on contemple des photographies, ou que l'on se laisse aller à des souvenirs, c'est bientôt le malaise qui nous gagne, la nausée. Comment s'est-elle emparée de moi, alors que j'ai la conviction de faire œuvre utile et de vérité! Serait-ce que la culpabilité solidaire des anciens d'Algérie m'étreint moi aussi?"

Bernard Sigg,
Le Silence et la honte

Bouffées de mémoires

La guerre d'Algérie n'a jamais existé – du moins feint-on de le croire : trois départements français ont simplement subi la loi du «maintien de l'ordre», puis de la «pacification». Et pourtant, pour s'en tenir aux pertes de l'armée française... 15 583 morts au combat, 7 917 hommes tués, victimes d'accidents de la route ou de maladresses dans le maniement des armes, 35 615 blessés en opérations et 29 370 blessés pour diverses causes. Quatre-vingt mille anciens soldats reçoivent, actuellement, une pension d'invalidité...

Les chiffres eux-mêmes ne peuvent pas tout dire. Combien sont-ils à être atteints dans leur raison, dans leur cœur? L'un d'entre eux nous dit : «Depuis des années et des années, les mots qui symbolisent cette époque n'ont pas changé : sueur, épuisement, froid, sensation d'efforts énormes pour des résultats minimes et surtout la peur qui vient encore m'habiter quelquefois.»

Il y a toujours ce sentiment diffus d'une guerre, livrée sur une terre lointaine, que l'on n'a pas comprise. Pour la plupart des jeunes soldats – ils s'en souviennent encore –, aller en Algérie constituait une première expérience de «tourisme» hors de son village, de son quartier, de sa ville, mais également la découverte du «scandale du tiers-monde» selon le mot de l'un d'eux, avec le désir plus ou moins confus de se rendre utile contre la misère qui pousse comme une fleur sauvage.

Aujourd'hui, la mémoire commence à se libérer. On éprouve, avec l'âge, le besoin tout simple de parler, de laisser un témoignage sur cette séquence, obsédante jusqu'à la nostalgie : «J'en avais marre de me faire agresser par des jeunes de dix-

"Le silence des garçons qui rentrent en France a, chaque fois, une résonance différente. Ce n'est pas tant celui de l'homme qui a toujours peur, que celui de l'homme qui veut oublier sa peur. A force d'aller en opérations l'esprit sans cesse tendu, les réflexes aiguisés, avec la hantise qu'une mitrailleuse guette peut-être, le réflexe normal de fuite s'est transporté à l'intérieur."

Pierre Boudot,
L'Algérie mal enchaînée

"Il y avait cette douceur de la nuit, les montagnes d'argent creusées du velours d'ombre, et les mechtas derrière eux, les murs bas de l'ancien fortin construit par les Berbères et le chant des moustiques, dans un silence comme il n'en avait jamais vécu. Laisse de Gaulle, laisse les tractations, les politiques, les années… Il y a cette nuit, ce temps, cet univers."

Claude Klotz,
Les Appelés

huit ans qui me reprochaient d'être allé en Algérie. J'ai eu envie d'expliquer pourquoi et comment nous avons obéi. Dans quelles conditions. Et d'analyser les traumatismes de cette guerre» (Jean-Pierre Vittori).

Amnésie apparente, prudence, réveil douloureux : il reste décidément difficile, aujourd'hui encore, d'évoquer l'Algérie. De nommer ce conflit qui fit des centaines de milliers de morts du côté algérien, imposa une guerre cruelle à près de deux millions de soldats français, chassa de leurs terres un million de pieds-noirs, et fit tomber une République.

TÉMOIGNAGES
ET DOCUMENTS

98
Partir en Algérie
100
Regards
104
La découverte de l'autre
106
L'annonce de la mort
108
Les harkis
112
Une guerre sans fin
114
Chronologie
116
Bibliographie
122
Table des illustrations
125
Index

Partir en Algérie

Appelé sous les drapeaux à Bayonne le 6 janvier 1957, Paul Markidès, alors jeune militant communiste, aujourd'hui dirigeant national de l'Association républicaine des anciens combattants (ARAC) se souvient et raconte la douloureuse mise en condition de l'appelé du contingent en partance pour l'Algérie.

À partir de 6 heures du matin en gare de Bayonne, nous sommes des dizaines de jeunes appelés qui descendons des trains pour être incorporés dans la compagnie de transmissions aéroportée cantonnée dans la caserne de la Nive. Au total, cent cinquante jeunes gens qui constitueront une « formation commune de base ».

Arrivés à la caserne, nous sommes aussitôt conduits dans un couloir sur lequel donne le bureau des effectifs. Nous faisons la queue rangés deux par deux sous la houlette d'un sous-officier engagé qui se veut bienveillant et ne cesse de nous expliquer comment « casser du salopard », entendez par là les Algériens, combattants ou non.

Pour parler des combattants, il utilise des termes comme « fellaghas », « fellouzes », « troncs ». Il ne faut avoir aucune pitié pour eux, nous explique-t-il, car « ils » n'en ont pas, y compris leurs complices : vieillards, femmes, enfants, sans oublier les « pieds-noirs » attachés à leur nation algérienne. « Lorsqu'ils te prennent, ils ne te font pas de cadeaux, ils te descendent de suite ou te coupent les couilles et te collent au soleil en te les mettant dans la bouche et attendent que tu crèves. » La moindre observation pondératrice venant de l'un d'entre nous est aussitôt contrecarrée par une réplique du genre : « Je te l'dis franchement mon gars, tu diras pas ça longtemps sinon les "fells" auront ta peau. C'est à choisir mon pote. » Lorsque l'un d'entre nous insiste : « Tu ne serais pas communiste des fois ? C'est pas le cas, d'accord, heureusement pour toi. Faut pas écouter les cocos, ils sont pour l'abandon de l'Algérie… Des traîtres. » Autant dire que moi qui suis un dirigeant départemental et local de la Jeunesse communiste, je me vois mal parti.

Enfin, vers 13 heures, alors que tous mes camarades sont partis, je suis enfin appelé. Dans le bureau, je distingue devant moi, assis derrière la table, un caporal-chef en béret rouge (engagé), un sergent lui aussi en béret rouge et un officier dont j'ai perdu la mémoire du grade. Derrière eux, sur une autre table un appelé (béret bleu) prend des notes. C'est le caporal-chef qui m'interroge.

Après les habituelles questions sur mon identité, il passe à la situation de famille. Étudiant sursitaire, et donc nettement plus âgé que la plupart de mes camarades, mis à part ceux qui étaient dans mon cas, je suis marié et attends un enfant. Je le déclare. Une réplique méprisante s'ensuivit : « Quand on sait pas baiser, on se tient tranquille ».

– Tu as fait des études ?

– Oui.

– Oui, caporal-chef !

– Oui, caporal-chef.

– Tu veux donc faire les EOR (école des élèves officiers de réserve).

– Non, caporal-chef.

– Et pourquoi donc ?

– Parce que je ne suis pas intéressé.

– Écoute, me dit-il en changeant de ton et en m'offrant une cigarette, tu as tort parce qu'ici à Bayonne lorsque tu reviendras en permission ou en stage, tu verras, les sous-off font des ravages sur la plage et au casino alors que les troufions (les soldats du rang), c'est plutôt maigre.

– Oui, mais cela ne m'intéresse pas. J'aime ma femme et mon gosse et plus vite je les rejoindrai mieux ce sera.

– Tu ne les rejoindras pas plus vite pour autant. Enfin c'est ton affaire. Tu sautes bien sûr ?

– Non, caporal-chef. Je n'avais pas demandé à être incorporé dans les parachutistes mais dans les troupes de montagne et je désire être muté dans une autre unité. Je ne veux pas mettre ma vie en danger inutilement. Ma famille a besoin de moi et je tiens à vivre.

– Voyez-vous ça ! En tout cas, t'attendras d'avoir fait tes classes. Je suis certain que tu changeras d'avis d'ici là, car pour aller régler leur compte aux salopards de l'autre côté de la mare aux harengs, vaut mieux être avec des mecs qui ont des couilles au cul plutôt qu'avec ces femmelettes de fantassins. On a fini, tu peux sortir. [...]

Je m'attarde à regarder mes camarades qui parlent entre eux dans la cour. Je sens une présence derrière moi. C'est l'appelé qui assure le secrétariat du bureau des effectifs.

– Salut, ça va, t'as pas mangé ?

– Non, mais il me reste un sandwich que je n'ai pas pu avaler dans le train.

– T'étais inquiet sûrement. Ça se comprend, la guerre c'est pas drôle et les cadres de l'armée pas tous faciles à vivre.

– Oui.

– Écoute, je sais qui tu es.

– Comment ça ?

– Dans ton dossier il y a une enveloppe blanche à n'ouvrir qu'en cas de nécessité. Ce genre d'enveloppe concerne les bandits et les communistes. Tu n'as pas la tête d'un bandit, donc tu es communiste.

– Et alors ?

– Et alors moi je suis chrétien et j'appartiens à Pax Christi [mouvement chrétien pour la paix]. Je veux la paix en Algérie et l'entente avec les Algériens. Je sais que tu veux la même chose. Quoi qu'il arrive pour toi, tu peux compter sur moi.

Je dois dire qu'il tint parole.

C'est ainsi que bien secoué par ma nuit d'inquiétude dans le train et la matinée que je venais de vivre, je retrouvais le courage d'affronter la suite grâce à ce garçon généreux.

Regards

Serge Pauthe, aujourd'hui comédien et metteur en scène de théâtre, a envoyé cent quatre-vingts lettres à ses parents tout au long de son service militaire en Algérie. Il les a publiées telles quelles, en pensant à ses enfants, leur disant dans sa préface :
« J'ai fait la guerre en étant contre. Prenez horreur, prenez pitié et n'ayez pas trop d'indulgence. »

14ᵉ lettre

Ce jour-là...

Chers parents,

Alger, 8 mai 1959. Je suis debout sur les escaliers face à la sous-préfecture. En bas les Arabes disposent leurs marchandises : tapis, babouches, bagues, bracelets. Je les regarde. Personne ne s'arrête. Comme d'habitude, les têtes se tournent de l'autre côté quand ils s'approchent pour vanter leurs marchandises. Gestes secs, paroles acerbes, air indifférent. Deux parachutistes surgissent en haut des escaliers. Ils

descendent, me dépassent, je les observe. Un Arabe tend une montre à l'un des soldats et soudain devant moi, là, un hurlement. Oui je vois tout. Le para lance son pied sous le poignet du bougnoule, la montre vole et s'écrase en morceaux sur le sol, l'homme plié sur le trottoir se tord de douleur et l'autre, le vainqueur, s'écrie : « Va la chercher, ta montre ! »

34ᵉ lettre

Ce jour-là...

Chers parents,

Je viens de recevoir votre lettre et sa bouffée de pessimisme qui ne m'a vraiment pas fait plaisir. Je vous en supplie, ne vous faites pas de souci. Tout va bien, oui, oui, je suis en Grande Kabylie. Oui je suis en opération, mais écoutez, je suis toujours à côté du commandant et croyez-moi, un commandant ça ne se fait pas tuer tous les jours. C'est pour ça que je ne le lâche pas d'une semelle. Vous êtes rassurés maintenant ? Et puis la pacification avance. Et plus elle avance, plus la rébellion recule. Ces derniers temps il n'y a presque plus d'accrochages. Et dès qu'il y en a un, Challe emploie les grands moyens et là vous savez, je préfère à ce moment-là ne pas être rebelle.

Et puis je fais un boulot passionnant. Bon, je ne suis pas dépanneur, je suis filiste. Je suis toute la journée dans la jeep du commandant et je prends et j'envoie des messages. Pas en morse non, pas de titi tata, je parle au téléphone, je vous explique. Voilà, ça commence toujours comme ça, je décroche le téléphone et je dis « Ici Soleil ». Soleil, c'est le nom de code du commandant, oui oui je suis délégué pour parler à sa place et comme on a la même voix tous les deux, oui oui oui, il est nasal lui aussi, alors les capitaines toujours perchés sur leurs pitons rocheux croient parfois que je suis le vrai Soleil, le vrai commandant. Je laisse faire. Et comme le commandant ne manque pas d'humour on rigole bien tous les deux. Donc je reprends, je reprends « Ici Soleil », je dis, « comment me recevez-vous ? » L'autre répond « Je vous reçois cinq sur cinq, parlez. » Et là je donne des ordres, enfin je donne les ordres du commandant. [...]

Non, c'est vrai, c'est passionnant. Hier j'ai pas quitté mon poste. Les copains se marraient en voyant mon enthousiasme. À un moment une compagnie fouinait dans un ravin, et ils ont accroché des rebelles, alors vite, je donne des ordres. Enfin, c'était le commandant ou moi, j'sais plus tellement ça allait vite, « Soleil, Soleil », je disais à la place du commandant. « Soleil, Soleil, Soleil appelle Rouge-Gorge, Soleil appelle Rouge-Gorge. » Rouge-Gorge c'est le nom de code de la compagnie d'en face, oui, bien sûr, celle qui avait accroché. « Quelle est votre position ? » « Rouge-Gorge à Soleil, je vous reçois cinq sur cinq répondent les autres en face, nous sommes en P30. » « Très bien dit Soleil, très bien, tenez bon. » « Appelez Bleu-Pervenche », me dit le commandant. « Très bien mon commandant. » « Soleil, Soleil, Soleil appelle Bleu-Pervenche, Soleil appelle Bleu-Pervenche – c'est le

nom de code d'une autre compagnie –, Soleil appelle Bleu-Pervenche, Soleil appelle... » « Mais qu'est-ce qu'ils foutent bon Dieu ? » qu'il dit le commandant ou moi, je ne sais plus, ils dorment ou quoi !... « Dépêchez-vous ! Ils répondent ? Ils répondent ? », s'affole le commandant. « Non » « Appelez Vert-Olive », me dit le commandant. Vert-Olive c'est le nom d'une autre compagnie. « Soleil, Soleil appelle Vert-Olive... Soleil, Soleil, Soleil, parlez. » Ah, enfin. « Ici Vert-Olive, je vous reçois cinq sur cinq. » « Votre position », dit le commandant. « Je suis en F18. » « Portez-vous-en très vite en S28. » Ah, c'était fou, je ne voyais rien, j'entendais presque rien, nous étions totalement au-dessus de la mêlée. Ainsi donc, sous moi, cette troupe s'avance. Non, non, non écoutez chers parents, n'ayez pas peur, je ne risque rien.

Bon, c'est vrai je ne suis pas dépanneur, je ne suis pas à l'arrière ; de toute façon ici, il n'y a pas d'arrière. C'est fou ! On m'avait fait croire que je suivrais les opérations dans un camion de dépannage, tu parles, y a juste une camionnette bâchée avec dedans un établi, un tournevis, un testeur de courant et un appelé qui en est à son huitième mois. Il est dépanneur et il compte le rester jusqu'au bout, au bout de ses vingt-sept mois. J'suis pas près de prendre sa place, puis de toute façon, si un poste tombe en panne il est aussitôt envoyé en labo à Sétif ; le dépanneur ne sert strictement à rien.

Non, c'est vrai, cette vie en bataillon me convient parfaitement. C'est la vie au grand air. On fait du camping, comme à Retournac à l'entrée des gorges de la Loire. On est tous en short, presque à poil. Le commandant aussi. Écoutez, voir un commandant torse nu, sans barrettes, sans épaulettes, sans toutes ces décorations qui lui vont du nombril jusqu'au-dessous du menton, eh bien, rien que ça, écoutez, ça vaut le voyage. Ça doit être marqué trois étoiles sur le guide Michelin, papa, va vérifier pour voir.

Non c'est vrai, j'suis très bien. Bon y a qu'un truc qui va pas, c'est que la dure… est dure. Ouais si vous pouviez m'envoyer mon matelas pneumatique dans votre prochain colis. Finalement tout le monde se l'est fait déjà envoyer. Ah oui, le temps des « Fanfan La Tulipe », « Joe la terreur » ou « Jef Le Baroudeur » c'est bien fini.

Je me suis acheté une pipe, il ne manque que le tabac, vous voyez ce que je veux dire… Je vais enfin pouvoir refumer après deux journées atroces, où l'Etna, le Stromboli et tous les volcans encore en activité sur la surface de la terre s'étaient donné rendez-vous à l'entrée de mon gosier, entre le palais et l'œsophage, je vous explique. J'étais tranquillement assis dans le camion avec les copains, avec nous il y avait des anciens, valeureux combattants d'AFN, et nous en quelque sorte on était la bleusaille, on n'y connaissait rien. Et à côté de moi, un guerrier qui allait partir en opération se faisait des sandwiches et tartinait à grandes lampées de la sauce tomate sur une énorme tranche de pain. Moi je le regarde faire. « T'en veux ? », me dit-il. « Oh, pourquoi pas. » C'était quatre heures, j'avais un p'tit creux, vous me connaissez, de toute façon j'ai toujours un petit creux, même si je n'ai aucun creux grâce à mes bourrelets de graisse qui me tiennent toujours chaud au ventre. Je prends la tartine, je mords. Comme d'habitude, je mâche à peine, j'avale tout de suite et je me retrouve aussitôt dans le lavabo qui heureusement était juste en face du camion. J'étais couché dedans, robinet grand ouvert, et l'eau du Niagara

coulant et débordant de ma bouche. Le con ! C'était pas de la sauce tomate, c'était de la harissa ! Cette bouillie soi-disant sauce tomate alors qu'il y a pas de tomate dedans mais des piments les plus extravagants récoltés dans les endroits les plus barbares de la planète. Je ne vous dis évidemment pas les rires qu'a provoqués votre fils piégé par la bêtise humaine. Ce con, il aurait pu m'incendier tout habillé avec un jerrican d'essence, c'était pareil.

Bon allez, j'vous quitte, j'vais faire ma lessive, toujours pareil oui oui, un treillis pour un paquet d'Omo. Ah ce qu'on est sale !… Chers parents, je vous embrasse très fort.

Caresse à Titi Nini.

Serge

36e lettre

Ce jour-là…

Chers parents,

16 septembre. Hier soir le commandant s'est retiré tout seul sous sa tente. Il a écouté le discours de De Gaulle, j'ai tendu l'oreille mais je n'ai pas entendu grand-chose. Par contre j'ai vu la tête du commandant quand il est ressorti de sa guitoune. Il était sinistre, c'est donc qu'il se passe quelque chose.

C'est donc peut-être une date mémorable. La paix s'avance, elle va recouvrir de son beau manteau blanc tous ces paysages, tous ces murs noircis par le feu, les bombes. Le miracle va avoir lieu, c'est sûr. Les GMC vont s'arrêter net en plein djebel, les hélicos vont rester là-haut suspendus dans les airs, la balle à l'instant même tirée par le soldat de l'un ou l'autre camp va retomber inerte dès sa sortie du canon, j'y crois, j'y crois, c'est formidable, je crois à la réconciliation des peuples. En bas dans le village tout blanc, ils se

préparent à venir à nous les mains nues, j'espère qu'ils ont écouté le discours de De Gaulle.

Bientôt chers parents nous nous reverrons. Pouvez-vous m'envoyer le discours intégral du général ainsi que les réflexions de journalistes comme Roger Priouret de *la Tribune de Saint-Étienne*, *le Monde*, *l'Intransigeant* et *le Figaro*, *l'Huma* aussi. N'envoyez pas les journaux, découpez les articles correspondants, j'aimerais me faire une opinion. J'étouffe ici, je suis sans nouvelles.

On est toujours coincés là-haut sur notre piton herbeux. Bien sûr, j'ai la radio, mais elle est constamment branchée sur « Radio Soleil ». Rayon d'action cinq kilomètres, pas plus. Si Europe 1 pouvait installer son émetteur sur le piton d'en face, je serais le plus heureux des hommes. Pas de danger, enfin pas de danger qu'ils le fassent. [...]

Ici on vit comme on sursaute. Nous sommes suspendus à un fil. Un ordre peut surgir d'un moment à l'autre, Challe est toujours là-haut, sur le sommet du Djurdjura. Si jamais ses « Jumelles » dévient de sa trajectoire et qu'il nous aperçoit assis sur l'herbe, hop ! Coup de fil : « Jupiter appelle Soleil, Jupiter appelle Soleil mais qu'est-ce que c'est que ce bordel ? Foncez, dévalez la pente, y a encore une mechta debout, mais enfin, pacifiez mon vieux, pacifiez, qu'est-ce que vous attendez ? » Oui oui chers parents, on peut partir d'un moment à l'autre.

Notre adjudant ici est un homme... potable, du moins acceptable, trois quarts militaire, un quart humain, il rigole avec nous six heures sur vingt-quatre. On tue ici le temps comme on peut, en bouffant des rations de conserves. On vit ici à quinze, commandant compris, sur une portion de territoire d'à peine six mètres sur quinze. Et on ne bouge pas d'ici depuis un mois tant qu'on n'a pas reçu d'ordre.

Chers parents, je vous embrasse bien fort. Caresse à Titi Nini.

Serge Pauthe, *Lettres aux parents*, L'Harmattan, 1993

La découverte de l'Autre

Les jeunes soldats de métropole débarquent sur un morceau de terre d'Afrique. Ils découvrent, perplexes, étonnés ou ravis, un univers singulier. Pas simplement à cause des paysages, d'une beauté fascinante. Les voici mêlés à des « populations indigènes », qui vivent avec leur code d'honneur, leurs habitudes alimentaires, leur religion, l'islam. Les voilà, aussi, pris dans la vie quotidienne des villages et des casbahs des villes, à l'architecture si particulière et compliquée. La plupart des hommes du contingent n'oublieront pas ce « voyage », premier contact avec l'Orient, avec cet Autre, Algérien et musulman.

Cet après-midi, visite au ksar. Un ethnologue serait très intéressé. Je suis avec un camarade, deux hommes d'escorte et deux moghaznis nous précèdent. Nous côtoyons des jardins verdoyants, entourés de murettes délimitant des propriétés et empêchant les troupeaux d'entrer. Sous les arbres fruitiers de toutes sortes grandissent les moissons d'hiver qu'on récoltera dans plus d'un mois. Le ksar se dresse sur sa hauteur, on n'en voit que le mur d'enceinte. Quand nous y pénétrons, les moghaznis ont déjà pris position à tous les carrefours : il n'y a pas très longtemps, un homme de la SAS a été abattu ici d'une rafale de mitraillette. Nous voici dans des rues étrangement dorées d'âge et de soleil, bordées de murs en arêtes de poissons comme dans certains monuments mérovingiens. Sur la place, les hommes sont assis auprès de l'imam qui se tient à la porte de la mosquée. Tous se lèvent à notre approche, nous leur serrons la main. Un escalier nous conduit sur la terrasse des maisons, où des chevaux cabriolent. À nos pieds, de la fumée s'échappe d'une marmite trouée, c'est une cheminée.

Nous descendons dans une cour. Une femme se tient dans une chambre obscure. Elle file. Sous ses doigts, les flocons de laine s'enroulent autour d'une petite quenouille qu'elle fait tourner vivement en l'appuyant sur sa cuisse. Dans quelques jours, on fera teindre à Aflou cette laine qui deviendra un tapis. On ne prépare malheureusement

plus soi-même les teintures à l'aide de plantes, et les couleurs chimiques, plus brillantes, vieillissent moins bien et sont moins intenses. Cette femme a peur. Il faut partir.

Nous franchissons des escaliers, escaladons des rampes, ouvrons des portes qui donnent sur de nouvelles cours. Enfin, voici un vieillard au seuil de sa maison. Nous avons de la chance : il ne peut pas ouvrir sa porte et nous devons l'aider. Notre interprète lui traduit que nous avons lu le livre d'un grand thaleb de France (*Le Djebel Amour*, de M. Despois, professeur à la Sorbonne), sur la manière dont il vit, et que nous voudrions lui rendre visite. Il nous laisse entrer sans affabilité. Sa femme fait du beurre. Le lait se trouve dans une outre en peau de chevreau suspendue à une poignée de porte et la femme la secoue dans un va-et-vient permanent. La maison est partagée en compartiments délimités par des petits murs. Les nomades, jadis, y mettaient une provision de grains en payant une redevance au propriétaire de la maison. Aujourd'hui, la chambre est vide. Car le djebel Amour traverse dans cette guerre une effroyable crise. Les populations ne peuvent plus se déplacer comme jadis. Les zones interdites, les centres de regroupement ont supprimé des milliers d'hectares de pacage ; ceux des habitants qui ne sont pas regroupés. et restent dans le djebel, sont tenus, pour la plupart, de se rapprocher des pistes que nous sillonnons et les pâturages leur sont donc pratiquement interdits en profondeur. Les bêtes sont volées par les fellaghas, confisquées par nous lorsque le troupeau paît dans des conditions suspectes. Ne pouvant plus nomadiser, les gens n'ont plus besoin, comme jadis, de ces relais de chambres à grains de ksar en ksar. Alors, ils gardent tout dans le silo familial à proximité de leurs tentes. Mais la quantité nécessaire pour tout l'hiver dépasse les volumes qui n'éveillent pas le doute chez nous ou la cupidité chez les fellaghas. C'est insoluble. La méconnaissance de ces règles de vie, les nécessités de la guerre, nous font parfois affamer des gens en toute bonne foi.

Pierre Boudot,
L'Algérie mal enchaînée,
Gallimard, 1961

L'annonce de la mort

Près de trente mille soldats français sont morts en Algérie. Pendant longtemps, il n'y aura pas d'inscriptions particulières sur les monuments aux morts des villes et villages de France, évoquant la mémoire de ceux qui ont été tués « là-bas ». Le rapport à la mort est exclusivement privé. Le soldat qui revient du combat et a côtoyé, vu la fin d'amis proches, évitera généralement d'en parler à celui qui risque de partir. Cette tendance à occulter la mort a pour conséquence le renoncement à assumer cette guerre. Bernard Alexandre, curé de campagne dans le pays de Caux (Haute-Normandie), raconte ici l'annonce du décès et le retour du corps d'un jeune du village.

– Allô, ici la gendarmerie de Goderville… je suis l'adjudant X. Je m'excuse, mais votre mairie n'a pas le téléphone et il me faut un correspondant…

– Un accident ?

– Un télégramme d'Algérie…

En un éclair, je revois chacun des jeunes du village partis là-bas. La gendarmerie, je le sais, ne téléphone jamais pour un blessé… Lequel d'entre eux ?

Au bout du fil, je sens l'adjudant mal à l'aise.

Il se doute de ce qui m'attend : annoncer à un père et à une mère : « Le petit ne reviendra pas… »

– Ça s'est passé pendant une patrouille à la frontière tunisienne. Une embuscade. Le char a reçu un coup de plein fouet au bazooka. Plusieurs des gars ont été plus ou moins brûlés, mais lui… il est mort.

L'adjudant n'a pas encore prononcé « le »

nom. Un instant encore pour moi, le mort n'a pas de visage… et puis le couperet tombe :

– Jacques T., brigadier. Vous le connaissiez ?

Question pour rien, il sait bien que je connais tout le monde. Il enchaîne alors, très vite :

– Merci de prévenir le maire et d'aller voir la famille. […] Je cours chez le maire. C'est un homme âgé, la nouvelle le bouleverse :

– J'ai honte d'annoncer ça aux parents !

Honte pour nous tous ? Parce que nous sommes de la « génération des dirigeants » qui avons « conduit » le petit là où il est ? Honte, parce que, en tant que « maire », il représente le gouvernement dans son village ? Je n'insiste pas.

– Ne vous inquiétez pas, lui dis-je, je vais y aller avec l'instituteur. […]

La maison est en face du presbytère. On pousse la barrière. L'entrée ouvre sur un couloir. Une porte à gauche : celle de la chambre où, il y a quelques années, j'ai tenu la main du petit Jacques, au plus mal… sauvé *in extremis* d'une diphtérie.

Au fond du couloir, la salle. Les parents sont devant la table familiale, sous la lampe, près de la cheminée où trône la cuisinière. Elle tricote. Lui feuillette une vieille revue. Pour une fraction de seconde, ils sont encore heureux.

Leurs yeux se lèvent vers nous… un sourire étonné et puis, eux aussi, sans que personne n'ait rien dit, ont compris. L'homme se tourne vers sa femme et d'une voix neutre, une voix de constat, il dit lentement :

– La mé, on n' r'verra plus not' Jacques…

Jacques, l'espoir, le fils unique, le continuateur qui allait reprendre la ferme.

Juste avant de partir en Algérie, il avait dit : « Ah ! Si seulement j'avais un tracteur ! » Le tracteur est là dans la cour, flambant neuf, qui l'attend. Une surprise dorénavant sans objet.

La mère n'a pas bougé, elle ne pleure pas. Elle respire difficilement mais ni plus ni moins que d'habitude : elle est asthmatique.

Je crois bien que j'aurais préféré qu'ils se révoltent.

– Bernard, un « Notre Père », me suggère l'instituteur. Mais le « Notre Père », à un tel moment, n'est guère plus facile à dire qu'à entendre.

– « … Pardonnez-nous nos offenses comme nous pardonnons à ceux qui… »

Mais à qui, justement, faudrait-il pardonner ? Au meurtrier en service commandé ? À ceux qui ont décidé et font faire cette guerre (qui n'en est même pas une) à des innocents ?

Les malheureux parents ne se posent pas ces questions. Leur fils est mort, le reste n'a plus d'importance, ils marmonnent machinalement leur prière.

Quant à nous, les habitants du village de Vattetot, nous savons maintenant que cette lointaine guerre d'Algérie existe « réellement ».

Désormais, elle a un visage : celui de Jacques, ce petit qui a grandi à l'ombre de notre clocher et qu'elle nous a tué. […]

Contrairement au fourgon attendu, c'est un gros camion qui apparaît. (Pour réduire les frais, l'Armée organise des « envois groupés ».) Le chauffeur saute de sa cabine, bordereau en main, comme n'importe quel livreur mais il demande le maire en personne :

– Pour la signature…

Trois signatures même, en trois exemplaires et le tampon de la mairie au-dessus des mots « Bien reçu ». Le règlement, rien que le règlement.

Bernard Alexandre,
Le Horsain, Plon, 1988

Les harkis

Les grands oubliés, les absents de l'exode précipité de l'été 1962, sont les musulmans profrançais, désignés sous le vocable général de « harkis ». Dès avant le 19 mars 1962, des officiers SAS se sont préoccupés de transférer en métropole ceux qui étaient menacés. Mais un télégramme du 16 mai 1962 les rappelle à l'ordre : « Le ministre d'État [Louis Joxe] demande au haut-commissaire de rappeler que toutes initiatives individuelles tendant à l'installation en métropole des Français musulmans sont strictement interdites. » Une autre directive du même ministre d'État, datant du 15 juillet 1962, énonce que « les supplétifs débarqués en métropole en dehors du plan général seront renvoyés en Algérie ».

Un enfant dans la guerre

Saïd Ferdi raconte comment, en 1958, à l'âge de quatorze ans, il a été enlevé à sa famille et enrôlé malgré lui dans l'armée française.

Les tirailleurs remplissaient la salle d'un bruit insupportable. Sur cinq ou six réchauds, certains faisaient cuire des poulets ramenés de l'opération de la journée, et qu'ils tuaient et plumaient dans la salle. D'autres jouaient aux cartes par groupes de quatre ou cinq. D'autres encore buvaient de la bière. Plusieurs étaient déjà soûls. Tous parlaient fort ou plutôt criaient. Quatre ou cinq tourne-disques fonctionnaient, émettant des musiques différentes. Je n'avais jamais vu un désordre ni entendu un vacarme pareils. J'essayais de voir s'il y avait dans la salle un autre jeune comme moi ou quelqu'un qui eût l'air sympathique. Je me rendis compte que les plus jeunes avaient au moins vingt ans. La plupart étaient plus vieux. J'ai su par la suite que les plus âgés du groupe atteignaient la quarantaine. Beaucoup portaient la barbe, parfois très longue, jusqu'à la poitrine, et de longues moustaches qu'ils étiraient à l'horizontale. Ils avaient tous l'air particulièrement antipathiques. J'avais beau les voir dans la caserne depuis bientôt deux mois, je fus pris de panique à les voir de si près et à me sentir obligé de vivre avec eux.

Heureusement, je fus réconforté par l'arrivée de Daniel qui, son service terminé, vint passer la soirée avec moi assis sur mon lit. L'attitude hostile de la chambrée qui le regardait de travers et lui adressait des mots désagréables l'obligea à partir au bout d'une heure. Le vacarme qui régnait dans le dortoir eût d'ailleurs seul suffi à le faire partir rapidement. Ce n'est que vers deux heures du matin que tout bruit cessa, malgré les interventions répétées tout au long de la soirée du gradé de semaine. Enfin je pus m'endormir.

Le réveil eut lieu à six heures. Il me fut impossible de me lever. Je souffrais de partout. Ma tête était enflée et je ne pouvais pas ouvrir les yeux. Je sentais que j'avais une forte fièvre. Personne ne s'occupait de moi. Après huit heures, heure du rassemblement, l'infirmier vint me voir. Surpris de me trouver si mal en point, il m'emmena en me soutenant, jusqu'à l'infirmerie. Celle-ci consistait simplement en une petite pièce, et l'infirmier ne disposait en tout et pour tout que d'une simple trousse de premiers secours. En effet, tout blessé même léger était emmené par camion ou par hélicoptère à l'hôpital situé au PC du régiment, à une trentaine de kilomètres de notre caserne. À l'infirmerie, il ne recevait auparavant que quelques soins d'urgence. Mais je n'étais pas militaire et ne pouvais donc pas y être expédié. Je devais me contenter des quelques médicaments que contenait cette trousse. Je passai la matinée sur le seul lit de l'infirmerie, celui de l'infirmier. Daniel puis le capitaine vinrent me voir. Je demandai au capitaine de me loger ailleurs disant que j'avais très peur des tirailleurs. Il m'expliqua que le seul moyen d'éviter les brutalités était d'habiter avec eux, car ainsi je serais considéré et traité comme un militaire et non plus comme un prisonnier que chacun peut malmener et frapper à volonté. Ainsi, malgré mes demandes, refusa-t-il de me laisser retourner dans la baraque où je logeais jusqu'à présent avec les deux garçons de la cuisine. Il me dit ne pas disposer d'un meilleur dortoir que celui où il m'avait mis, que je n'avais rien à craindre puisqu'il avait donné des consignes très précises pour qu'on me

laisse en paix. Je fus donc contraint de vivre avec les tirailleurs. [...]

À la fin de la nuit, les tirailleurs, devenus particulièrement nerveux, tiraient des rafales constamment, prenant souvent ces ombres pour des fells. Au lever du jour, le tir s'atténua. Vers huit heures, un hélicoptère nous apporta de nouvelles munitions. L'aviation se remit à bombarder une fois le jour revenu. Après un moment de bombardement intense, notre compagnie, qui avait subi le moins de pertes, reçut l'ordre de progresser. Nous n'avions eu que deux blessés avant la nuit, aussitôt évacués par hélicoptère. Notre capitaine disposa en ligne deux sections et le groupe de commandement entre elles. Nous nous mîmes en marche et parcourûmes près d'un kilomètre. Le terrain était tout jonché de cadavres fells, mais surtout de civils qui avaient fui les douars en voyant arriver l'armée française, et qui s'étaient réfugiés dans la montagne, ne pensant pas qu'ils y seraient encerclés. J'étais très choqué de voir les tirailleurs bondir sur les cadavres pour leur arracher ce qu'ils possédaient, bagues, montres, portefeuilles, casquettes ou rangers, quand exceptionnellement ils en portaient. Plus révoltant encore était qu'ils éventraient parfois les corps avec leur baïonnette. Et dans les corps brûlés, ramollis par le napalm, ils enfonçaient des morceaux de bois ramassés par terre. Les quelques blessés qu'on rencontrait étaient aussitôt achevés par une rafale. Il n'était guère possible de dénombrer les fells morts car, à part certains encore reconnaissables à leur treillis, ils ne se distinguaient plus des civils, tous les corps étant brûlés et déchiquetés. J'étais abasourdi de voir tant de morts, je ne comprenais pas comment un tel carnage était possible.

Le ratissage dura toute la matinée. Vers midi, nous atteignîmes la position occupée par les unités qui avaient les premières rencontré les fells. Tout était terminé. Nous fîmes une pause pour manger. Pour ma part, je n'avais rien mangé depuis deux jours, mais ne pus toujours rien avaler. Ce que j'avais vu m'avait donné une nausée qui ne me quittait pas. Pour les tirailleurs, il ne s'était apparemment rien passé qui dût les gêner. Les poulets pris la veille dans le douar furent cuits dans l'heure. Certains firent chauffer des boîtes de conserve, du café. Beaucoup racontaient leurs exploits avec animation. Ils en semblaient très fiers. Ils étaient tous si joyeux qu'on se serait cru à une fête.

Plus de soixante mille harkis sont massacrés après l'indépendance algérienne. Leur destin est inséparable de celui subi par la paysannerie algérienne dans son ensemble pendant le conflit (déplacements massifs, appauvrissement, fragilisation psychologique par le déracinement). Ci-dessus, au premier plan, un ancien chef de katiba de l'ALN rallié à l'armée française, le sous-lieutenant Riguet du commando «Georges», liquidé en 1962.

Pourtant, à cent mètres de là, le terrain était jonché de cadavres. Je ne pouvais guère supporter cette ambiance. Le capitaine se rendait compte de ce que je ressentais. Pendant la pause, il essaya de me remonter le moral. Il m'expliquait qu'on ne pouvait rien contre cette guerre, qu'Allah l'avait voulue. Je n'y croyais bien sûr pas.

Saïd Ferdi,
Un enfant dans la guerre,
Le Seuil, 1982

À quelques semaines de l'indépendance, en 1962, se nouent les horreurs d'une guerre civile : le massacre des harkis.

Les harkis avaient eu des comportements très variés. Ceux qui avaient été loin dans la collaboration n'avaient pas hésité à suivre l'armée française, laissant souvent derrière eux les familles désemparées. Moussa, paralysé depuis des années par une balle FLN, avait quitté le village, disait-on, caché dans une malle en osier – l'armée française ne l'avait pas attendu. Les malins ne s'étaient pas donné tant de peine. Ils s'étaient contentés de changer de ville. N'ayant personne sur leur nouveau lieu de résidence pour leur rappeler leur passé, ils s'étaient coulés dans les structures du jeune État, allant même jusqu'à occuper des postes de responsabilité. Ceux qui ne s'estimaient pas trop compromis, pour avoir versé avec régularité l'impôt révolutionnaire, fourni des munitions aux maquisards, fermé les yeux sur des suspects, ou tout simplement parce qu'ils n'avaient jamais fait de mal à personne, étaient restés au village, essayant de passer inaperçus, de se faire oublier, évitant autant que possible de se montrer en public de peur d'être pris à partie par des gens qui ne savaient d'eux que leurs engagements

aux côtés des Français. Leurs proches, inquiets, faisaient le guet, tandis que les voisins, compatissants ou féroces, s'apitoyaient sur leur sort ou se gaussaient de leur prudence.

« On ne va pas quand même les tuer et laisser leurs enfants orphelins. Ils n'ont pas fait de mal. Les criminels sont partis avec la France. »

« Ha ! Ha ! hier, ils paradaient dans leurs uniformes français, et voyez-les aujourd'hui. On dirait des femmes. Enfermés à longueur de journée dans la maison. Il ne leur manque que le foulard et la robe. »

D'autres, pour échapper à l'enfer de l'incertitude, s'étaient livrés d'eux-mêmes aux autorités militaires, disant qu'ils n'avaient jamais fait de mal et qu'ils risquaient, en demeurant chez eux, d'être enlevés et tués. Leurs gardiens, reprenant à leur compte, dans la jubilation les mœurs des bourreaux d'hier, les traitaient avec brutalité et cynisme. Ils courbaient l'échine, acceptaient toutes les corvées, pensant qu'en prison au moins ils étaient à l'abri.

La chasse aux collaborateurs commença à la fin du mois d'août. Les enlèvements furent perpétrés de nuit par de jeunes hommes, militants de la dernière heure qui s'estimaient en droit de rendre la justice, de venger les morts, de purifier la terre. On exécutait au revolver, au couteau, à la hache, dans des grottes secrètes, des ravins perdus. Les parents des victimes, sans recours, sans parole, serraient leur douleur au creux de leur poitrine et écoutaient la rumeur. Et tout finissait par se savoir, les événements se reconstituant à mi-voix dans leur atrocité, avec des noms de personnes, des itinéraires, des haltes, des détails qui ne laissaient place à nulle espérance.

Rabah Belamri, *Le Regard blessé,*
Gallimard, 1987

Une guerre sans fin?

Au fil des ans, le sens de la guerre s'effiloche aux yeux des « anciens d'Algérie ». Quelques-uns la vivent encore comme une croisade, les autres, infiniment plus nombreux, comme une aventure obligée de jeunesse, une absurdité imposée. Pour que les blessures de la mémoire soient cicatrisées, encore faut-il dire la fin, la date de clôture de cette guerre jamais déclarée. Sans commémoration d'une date (peut-être le 19 mars, date des accords d'Évian en 1962), le risque est grand de ne jamais voir finir, dans les cœurs et les esprits, cette guerre sans nom.

Dans l'immédiat, les anciens d'Afrique du Nord se mobilisent pour bénéficier d'une retraite anticipée.

On les avait oubliés, ils sont de retour. Les « anciens d'AFN », comme ils se présentent eux-mêmes, c'est-à-dire les anciens combattants de la guerre d'Algérie (1954-1962), sont connus et reconnus pour former un lobby très bien structuré, un vivier de voix précieux, acquis en majorité aux partis de droite. Ils s'étaient montrés discrets depuis l'élection à la présidence de la République, il y a six mois, de Jacques Chirac, un ancien de l'Algérie lui aussi.

Mercredi 25 octobre, ils se sont rappelés au bon souvenir des parlementaires, de droite en priorité puisqu'ils sont au pouvoir, et à celui de Pierre Pasquini, ministre des Anciens combattants et des Victimes de guerre. Comme par enchantement, la séance des questions d'actualité à l'Assemblée nationale avait vu fleurir, la veille, deux questions sur la retraite anticipée des anciens combattants d'Afrique du Nord. Successivement, Michel Meylan (UDF, Haute-Savoie) et Maxime Gremetz (PC, Somme) étaient venus rappeler à M. Pasquini quelques-unes de ces promesses qui, dirait Charles Pasqua, n'engagent que ceux qui les écoutent.

Une dizaine de milliers de manifestants se sont réunis sur la pelouse de l'esplanade des Invalides. Venus qui par car, qui par train, ils étaient rassemblés par régions et sous des petits panonceaux indiquant le numéro de leur département : ceux de l'Orne (61) côtoyaient ceux du Calvados (14), non loin de ceux de l'Indre-et-Loire (37), venus avec leur canon de Chinon, rebaptisé pour l'occasion « le pétrole de l'Ouest ». Sur l'estrade hâtivement construite du côté gauche de l'esplanade, dans la perspective de l'hôtel des Invalides, les dirigeants des cinq associations qui forment le Front uni des anciens combattants en Afrique du Nord avaient pris place.

Wladyslas Marek, président de la Fédération nationale des anciens combattants en Algérie (FNACA), la principale association des combattants d'Afrique du Nord, qui revendique 330 000 adhérents, pouvait jubiler. Pour une belle journée, c'était une belle journée. Le temps était clément pour octobre, et ils s'étaient déplacés en masse. La journée comprenait deux temps forts : celui du rassemblement sur l'esplanade et celui du recueillement, marqué par un long cortège qui devait emmener les « anciens » jusqu'à la tombe du Soldat inconnu, sous l'Arc de Triomphe, afin d'y déposer une gerbe à la mémoire de ceux qui n'en sont pas revenus.

Deux heures durant les orateurs se sont succédé à la tribune, alternant responsables d'associations très à l'aise et parlementaires plutôt coincés. Les associations d'anciens combattants d'Afrique du Nord portent une revendication qu'elles jugent légitime : la retraite professionnelle anticipée à taux plein avant soixante ans, avec la prise en compte du passé sous les drapeaux dans le calcul des pensions de retraite. Dans cette période de pénurie d'emplois, cette mesure « juste » permettrait de dégager 360 000 emplois en six ans, selon les associations. Non satisfaite par le gouvernement d'Édouard Balladur, cette revendication les avait détournés de l'ancien Premier ministre lors de l'élection présidentielle.

Une certaine inquiétude, mâtinée d'indignation, vibrait néanmoins dans la voix de plusieurs orateurs : « Il n'est pas possible que le gouvernement joue la montre », ou même « l'urgence commande, sinon le combat sera terminé, faute de combattants »…

Alain Beuve-Méry,
Le Monde,
27 octobre 1995

IL A DU DONNER dans le drame de la guerre d'Algérie

deux des plus belles années de sa jeunesse

L'ETAT DOIT LUI RENDRE avec le droit à la retraite anticipée

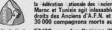

la Fédération Nationale des Anciens Combattants en Algérie, Maroc et Tunisie agit inlassablement pour défendre les droits des Anciens d'A.F.N. et rendre hommage à leur 30 000 compagnons morts au printemps de leur vie

F.N.A.C.A. 37/39, rue des Gatines 75020 PARIS

CHRONOLOGIE

1954

- **1er nov.** Déclenchement de l'insurrection algérienne contre la France en Algérie.
- **3 nov.** Le 18e régiment d'infanterie parachutiste du colonel Ducourneau est acheminé d'urgence vers le Constantinois.
- **10 déc.** Arrivée à Alger du 1er bataillon étranger parachutiste du colonel Jeanpierre.

1955

- **29 janv.** Opération militaire aéroportée dans le Sud-Constantinois (largage du 3e bataillon étranger parachutiste).
- **3 avr.** Préparée sous le gouvernement Mendès-France, approuvée et votée sous le gouvernement Edgar Faure, une loi permet d'instaurer l'état d'urgence sur une grande partie du territoire algérien.
- **6 avr.** Première opération avec les hélicoptères Sikorsky dans les Aurès.
- **30 avr.** Circulaire interministérielle confiant au général Parlange le commandement civil et militaire de la zone d'application de l'état d'urgence. La notion de « pacification » est associée aux structures administratives qui seront mises en place dans les Aurès. Elles seront bientôt connues sous le nom de Sections administratives spéciales (SAS).
- **17 mai.** Le gouvernement décide de porter à 100 000 hommes l'armée d'Afrique en amenant des troupes d'Allemagne et de Tunisie.
- **19 mai.** Rappel des disponibles du dernier demi-contingent résidant en Algérie.
- **30 mai.** La 14e division d'infanterie, à base d'appelés du contingent, prend en charge le secteur Aïn M'Lila, Bône, Guelma (qui se soulève le 20 août 1955).
- **16 juin.** Arrivée de la 2e division d'infanterie motorisée, qui, après un bref séjour en Kabylie, s'installe sur la frontière tunisienne.
- **20 août.** Nombreuses actions armées dans le Constantinois, au nom de l'ALN. Répression.
- **23 août.** Rappel du demi-contingent libéré en avril, et maintien sous les drapeaux du premier contingent appelé en 1954.
- **11 sept.** Première manifestation de rappelés en France pour « la paix en Algérie ».

1956

- **2 janv.** Victoire du Front républicain aux élections législatives. Guy Mollet, président du Conseil.
- **8 févr.** Un ordre émanant du commandement supérieur recommande la création de harkas en Algérie.
- **12 mars.** L'Assemblée nationale vote les « pouvoirs spéciaux ». Il est décidé d'envoyer le contingent en Algérie, de rappeler 200 000 jeunes des classes 1951 à 1954 et de les transporter en Algérie à raison de 80 000 en mars, 70 000 en avril, 50 000 en mai.
- Les appelés sont maintenus par décret (renouvelable) au-delà de dix-huit mois : ce maintien portera la durée du service à trente mois et même davantage.
- **Avr.** Dernières grandes manifestations de protestations de soldats en partance pour l'Algérie.
- **18 mai.** Dix-neuf appelés du 2e bataillon du 9e régiment d'infanterie de chasseurs sont tués dans une embuscade à Palestro.
- **1er juill.** Deux divisions parachutistes voient le jour officiellement : la 10e dans l'Algérois et la 25e avec trois régiments formés d'appelés (9e, 14e et 18e régiments de chasseurs parachutistes).
- **Sept.** 400 000 hommes sur le terrain en Algérie.
- **2 oct.** Une unité du 1er régiment d'infanterie motorisée tombe dans une embuscade. L'ensemble du régiment intervient. 66 Algériens tués, 47 soldats français tués, 11 blessés.
- **16 oct.** L'escorteur *Commandant-de-Pimodan* arraisonne au large d'Oran le navire *Athos* qui transportait une forte cargaison d'armes pour le FLN.
- **22 oct.** Détournement de l'avion transportant la délégation extérieure du FLN.
- **30 oct.-6 nov.** Expédition de Suez, où sont engagés le 2e régiment de parachutistes coloniaux de Château-Jobert et le 1er régiment étranger de parachutistes, la 10e division parachutiste et la 7e division MR.

1957

- **7 janv.** Robert Lacoste donne à la 10e division parachutiste de Massu des pouvoirs de police à Alger.
- **10 janv.** Le 2e régiment de chasseurs parachutistes, 1er régiment étranger de parachutistes, 3e régiment de parachutistes coloniaux, 1er régiment de chasseurs parachutistes, le 9e zouaves s'installent dans Alger.
- **16 janv.** Attentat au bazooka contre le général Salan à Alger.
- **28 janv.** Grève générale lancée par le FLN à Alger, brisée par l'armée (« bataille d'Alger »).
- **10 févr.** Bombes FLN dans les stades à Alger.

- **Févr.** Publication en France de plusieurs témoignages sur la pratique de la torture en Algérie. Mise en accusation des DOP (Détachements opérationnels de protection).
- **18 févr.** Le général Paris de la Bollardière, opposé à la torture, est relevé de son commandement.
- **23 févr.** Arrestation à Alger de Larbi Ben M'Hidi par le 1er régiment de chasseurs parachutistes. Le leader FLN «disparaît».
- **11 juin.** Arrestation de Henri Alleg (qui publiera *La Question*) et de Maurice Audin qui «disparaît».
- **Juill.** Construction du barrage électrifié à la frontière tunisienne («ligne Morice»).
- **23 sept.** Arrestation de Yacef Saadi, responsable de la Zone autonome d'Alger du FLN. Fin de la «bataille d'Alger».

1958

- **Janv.-mai.** «Bataille des frontières», qui oppose 4 000 combattants de l'ALN aux régiments d'appelés chargés de la défense de la «ligne Morice». La frontière algéro-tunisienne devient imperméable, au détriment de l'ALN.
- **18 janv.** Arraisonnement du *Slovenja* (Yougoslavie), transportant des armes pour le FLN.
- **8 févr.** L'armée française bombarde Sakiet Sidi Youssef en Tunisie («Droit de suite»).
- **9 mai.** Le FLN annonce l'exécution de trois militaires français.
- **13 mai.** Création à Alger d'un Comité de salut public, présidé par le général Massu.
- **14 mai.** Pierre Pflimlin devient Président du Conseil. Massu lance un appel à de Gaulle.
- **16 mai.** Manifestations de «fraternisation».
- **1er juin** Investiture du gouvernement de Gaulle
- **4 juin.** De Gaulle à Alger : «Je vous ai compris».
- **9 juin.** Raoul Salan, délégué général en Algérie.
- **23 oct.** De Gaulle offre «la paix des braves», rejetée par le FLN.
- **19 déc.** Salan est remplacé par le délégué général Paul Delouvrier et le général Challe.

1959

- **7 janv.** Ordonnance portant organisation générale de la défense. L'ensemble des obligations du service national dureront deux ans. Ce service se fera, soit sous forme d'un service militaire (armé), soit sous celle d'un service de «défense». La notion de service auxiliaire est supprimée.
- **Mars.** Début du plan Challe. L'offensive commence par l'opération «Couronne» en wilaya 5 (Oranie).

- **Avr.** Opération «Courroie» contre la wilaya 4, Dahra et Ouarsenis algérois, Atlas blidéen et Titteri.
- **Juill.** Opérations «Étincelles» dans le Hodna, et surtout «Jumelles» (qui se poursuivront jusqu'en mars 1960) : 25 000 hommes de troupes de secteur posent une gigantesque nasse sur le massif kabyle, Soummam, Akfadou, Djurdjura.
- **18 août.** Limitation des sursis d'incorporation accordés aux étudiants.
- **27-30 août.** Première «tournée des popotes» de De Gaulle en Algérie.
- **Sept.** Opérations «Pierres précieuses» dans la wilaya 2 (Nord-Constantinois), qui se poursuivront jusqu'en juin 1960.
- **16 sept.** De Gaulle annonce le principe de l'autodétermination de l'Algérie.
- **Nov.** Mise en service de l'oléoduc Hassi-Messaoud/Bougie.

1960

- **24 janv.-1er févr.** Semaine des barricades à Alger. Pas de fraternisation entre l'armée et les insurgés.
- **13 févr.** Explosion à Reggane de la première bombe atomique française.
- **3-5 mars.** Nouvelle «tournée des popotes» de De Gaulle en Algérie. Inquiétude dans la hiérarchie militaire au sujet de négociations avec le FLN.
- **11-13 avr.** 49e congrès de l'UNEF qui se prononce contre la limitation des sursis étudiants et demande des négociations avec le FLN (73 % des mandats).
- **10 juin.** Si Salah et d'autres responsables de la wilaya 4 reçus secrètement à l'Élysée.
- **25-29 juin.** Échec des pourparlers de Melun (France/FLN).
- **11 août.** Le GPRA annonce l'exécution de deux soldats français.
- **6 sept.** «Déclaration des 121» : droit à l'insoumission. Ouverture du «procès Jeanson».
- **3 nov.** Début du «procès des barricades».
- **4 nov.** De Gaulle évoque l'existence d'une «République algérienne».
- **9-13 déc.** Voyage de De Gaulle en Algérie. Apparition publique du FLN dans les manifestations de rue.

1961

- **Févr.** Constitution de l'OAS.
- **21-25 avr.** Alger, Putsch des généraux Challe, Jouhaud, Zeller et Salan. Le contingent ne suit pas. Dissolution du 1er régiment étranger de parachutistes et 11e choc.

- **1er-15 mai.** Attentats et manifestations de l'OAS en Algérie.
- **20-28 juill.** Échec de la conférence de Lugrin.
- **17 oct.** Répression des Algériens à Paris.

1962

- **8 févr.** Manifestation anti-OAS à Paris : huit morts au métro Charonne.
- **10-13 févr.** Rencontre des Rousses.
- **18 mars.** Signature des accords d'Évian.
- **26 mars.** Fusillade de la rue d'Isly (46 Européens tués).
- **Avr.-juin.** Exode massif des Européens.
- **8 avr.** Référendum en France. Les accords d'Evian sont approuvés (17 millions et demi de « oui », contre 1 million et demi de « non »).
- **1er juin.** Retour progressif au service de dix-huit mois.
- **1er juill.** Référendum d'autodétermination en Algérie : l'indépendance est approuvée par 99,72 %.
- **3 juill.** Proclamation de l'indépendance.
- **5 juill.** Enlèvements et exécutions d'Européens à Oran et dans le reste de l'Algérie.
- **Juill.-déc.** Massacre des harkis en Algérie.

BIBLIOGRAPHIE

Écrits de soldats sur la guerre d'Algérie
(bibliographie établie par Benjamin Stora)

- Aballain, Paul, *Morts pour rien*, Paris, Éditions Ordoforma, 1990, 233 p. Autobiographie.
- Albert, Roger (ss la dir.), *Des appelés vendéens témoignent*, La Roche sur Yon, Centre vendéen de recherches historiques, 2006, 126 p.
- Alibert, Michel, *Ballade pour un soldat perdu*, Paris, Albin Michel, 1988, 221 p. Roman; *L'Escadron*, Paris, Albin Michel, 1989, 256 p. Roman.
- Alicante, Georges, *Soldat perdu. Le pire des mondes*, Paris, Au fil d'Ariane, 1962, 237 p. Témoignage.
- Alquier, Jean-Yves, *Nous avons pacifié Tazalt. Journal de marche d'un officier parachutiste*, Paris, Julliard, 1957, 276 p. Autobiographie.
- Alquier, Jean-Yves, Barberot, Roger, Girardet, Raoul, Massenet, Michel et Maulnier, Thierry, *Ceux d'Algérie*, Paris, Plon, 1957. Témoignage.
- Andoque, Nicolas, d', *Guerre et paix en Algérie : l'épopée silencieuse des SAS (sections administratives spéciales) 1955-1962*, Paris, Société de production littéraire, 1977, 219 p. Histoire.

- Anselme, Daniel, *La Permission*, Paris, Julliard, 1957, 205 p. Roman.
- Argoud, Antoine, *La Décadence, l'imposture, la tragédie*, Paris, Fayard, 1974, 360 p. Autobiographie.
- Assemat, Jean-Jacques, *Le Commando noir*, Paris, Presses de la Cité, 1979, 220 p. Histoire.
- Aumeran, Adolphe, *Paix en Algérie*. Paris, Dumeran, 1959, 509 p. Témoignage.
- Aussaresses, Paul, *Services spéciaux, Algérie (1955-1957)*, Paris, Perrin, 2001, 197 p. Témoignage.
- Bail, René, *Hélicoptères et commandos-marines en Algérie (1954-1962)*, Paris, Lavauzelle, 1983, 152 p. Histoire.
- Barberot, Roger, *Malaventure en Algérie. Avec le général Paris de la Bollardière*, Paris, Plon, 1957. Récit.
- Bardery, Jean-Pierre, *La Mémoire Longue*, Paris, La Table ronde, 1984, 187 p. Roman.
- Barone, Pierre, *De Kabylie en forêt d'Othe*, Paris, La Pensée universelle, 1981, 155 p. Roman.
- Beaufre, André, *La Guerre révolutionnaire, les formes nouvelles de la guerre*, Paris, Fayard, 1972, 307 p. Essai.
- Bellay, Guy, *Restez, je m'en vais*, Paris, Éditions Saint-Germain-des-Prés, 1975, 56 p. Poésie.
- Bergot, Erwan, *La Guerre des appelés en Algérie (1956-1962)*, Paris, Presses de la Cité, coll. Troupes de choc, 1980, 268 p. Histoire; *Le Flambeau*, Paris, Presses de la Cité, coll. Frères d'armes, 1983, 300 p. Histoire; *La Coloniale. Du Rif au Tchad (1925-1980)*, Paris, Presses de la Cité, 1983, 348 p. Histoire; *Paras Bigeard (1952-1958)*, Paris, Presses de la Cité, 1988, 189 p. Histoire; *Algérie, les appelés au combat*, Paris, Presses de la Cité, coll. Troupes de choc, 1991, 295 p. Histoire.
- Bernadac, Christian, *Djebel Tour*, Paris, Albin Michel, 1992, 255 p. Roman.
- Berri, Claude, *Le Pistonné*, Paris, Mercure de France, 1970. Roman.
- Berteau, Maurice, *Soldats de la loi*. Paris, La Musse, 1989, 211 p.
- Bertrand, Jean-François, *La Guerre, toujours la guerre*, Paris, P. Saurat, 1988, 243 p. Roman.
- Besnaci-Lancou, Fatima, *Treize chibanis harkis*, Paris, Editions Tirésias, 2006, 90 p.
– Bigeard, Marcel, *Pour une parcelle de gloire*, tome II, Paris, Press Pockett, 1977, 383 p. Autobiographie; *Ma guerre d'Algérie*, Paris, Hachette-Carrère, 1995, 141 p. Autobiographie.
- Billard, Jean, *Lettres d'Algérie, journal d'un appelé (1957-1958)*, Chamallières, 1998, 157 p. Témoignage.
- Biran, Michel, « Deuxième classe en Algérie », Paris, *Perspectives socialistes*, novembre 1961.

- Blandin, Pierre, *Constantine… la terre brûlée*, Nouvelles Éditions de Bresse, 1970. Autobiographie.
- Blignières, Hervé, de, *Un combattant dans le siècle*, Paris, Albin Michel, 1980. Autobiographie.
- Bois, Pierre, *La Brèche*, Paris, Denoël, 1962. Roman; *Le Défilé*, Paris, Denoël, 1969, 209 p. Roman.
- Boissel, Pierre, *Les Hussards perdus*. Paris, Éditions Saint-Just, 1966, 255 p. Roman.
- Bollardière, Jacques Paris de la, *Bataille d'Alger, bataille de l'homme*, Paris, Desclée de Brouwer, 1972, 167 p. Témoignage.
- Bonjean, Claude, *Lucien chez les Barbares*, Paris, Calmann-Lévy, 1977, 233 p. Roman.
- Bonnaud, Robert, *Itinéraire*, Paris, Éditions de Minuit, 1962, 155 p. Autobiographie.
- Bonnecarrère, Paul, *La Guerre cruelle. Légionnaires en Algérie*. Paris, Fayard, 1972, 130 p. Histoire.
- Bonnet, André, *Souvenirs sahariens et nord-africains*, Paris, La Pensée universelle, 1980, 379 p. Autobiographie.
- Boualem, Bachaga Saïd, *Les Harkis au service de la France*, Paris, France-Empire, 1963, 272 p. Essai.
  Bouchon, Jean François, *Insignes de l'armée française*, Bobigny, Sagico, 1982, 90 p. Photos.
- Boudot, Pierre, *L'Algérie mal enchaînée*, Paris, Gallimard, 1961, 292 p. Récit; *Le Cochon sauvage*, Paris, Gallimard, 1968, 144 p. Roman.
- Bourgeade, Pierre, *Les Serpents*, Paris, Gallimard, 1983, 274 p. Roman.
- Bourgeat, François, *Djurdjura*, Paris, Éditions Théâtrales, 1991, 57 p. Théâtre.
– Bourgoin, Daniel R., *Les Marches de Saint-Germain*, Paris, Gallimard, 1962, 204 p. Roman.
- Bourry, Jacques, *Itinéraire de soldat*, Marseille, P. Tacusset, 1989, 375 p. Autobiographie.
- Branche, Raphaëlle, *La Torture et l'armée pendant la guerre d'Algérie*, Paris, Gallimard, 2001, 474 p. Histoire.
- Brec, Jean, *Derrière la Grande Bleue*, Niort, chez l'auteur, 1989, 159 p. Autobiographie.
- Brem, Jean de, *Le Testament d'un Européen*, Paris, La Table ronde, 1964, 304 p. Essai.
- Brésillon, Jean-Pierre, *Crapahut*, Paris, Éditions de la FNACA, 1974. Autobiographie.
- Buis, Georges, colonel, *La Grotte*, Paris, Le Seuil, 1988, 320 p. ; 1re éd. Julliard, 1961. Roman.
- Callet, Jean, lieutenant-colonel, *Hiver à Tebessa*, Paris, Berger-Levrault, 1959, 240 p. Témoignage.
- Canin, Claude, *Là-bas… l'Algérie (1959-1962)*, Neuvic, La Veytizou, 1992, 112 p. Autobiographie.
- Cara, Mauro, *Une vie de légionnaire*, Paris, Calmann-Lévy, 1990, 347 p. Autobiographie.

- Carrière, Jean-Claude, *La Paix des braves*, Paris, Le Pré aux Clercs, 1989, 220 p. Roman.
- Carrière, Jean-Claude, et Azzdine, commandant, *C'était la guerre*, Paris, Plon, 1993, 465 p. Témoignages.
- Challe, Maurice, *Notre révolte*, Paris, Presses de la Cité, 1968, 448 p. Autobiographie.
- Chamski, Thadée, *La Harka*, Paris, Robert Laffont, 1961, 304 p. Roman.
- Charbonneau, Claude, *Fors l'honneur, ou le respect de la parole d'un Breton. Algérie, 1954-1962*, Plougrescant, Éditions Confrérie Castille, 1991, 208 p. Témoignage.
- Charby, Jacques, *L'Algérie en prison*, Paris, Éditions de Minuit, 1961, 105 p. Essai.
- Château-Jobert, colonel, *Feux et lumière sur ma trace. Faits de guerre et de paix*, Paris, Presses de la Cité, 1978, 345 p. Autobiographie.
- Chavardes, Maurice, *Le Frelon*, Arles, Actes Sud, 1990, 228 p. Roman policier.
- Chevallier, Jean-Pierre, *Le Brouillard du Tef Tekroun*, Éditions des Arts Graphiques d'Aquitaine, 1975, Autobiographie.
- Clostermann, Pierre, *Appui-feu sur l'oued Hallaïl*, Paris, Flammarion, 1960, 217 p. Témoignage.
- Collectif (ouvrage), *Ceux d'Algérie. Lettres de rappelés et d'appelés*, Paris, Plon, 1957.
- Collignon, Claude, *La Traversée des incendies*, Paris, Le Seuil, 1991, 430 p. Roman.
- Corbel, Maurice, *Les Éclats du Djebel*, Lyon, Federop, 1979, 150 p. Roman.
- Cotte, Jean-Louis, *La Longue Piste*, Paris, Albin Michel, 1959, 256 p. Roman.
- Croussy, Guy, *Ceux du Djebel*, Paris, Le Seuil, 1967, 235 p. Essai ; *Ne pleure pas, la guerre est bonne*, Paris, Julliard, 1975, 191 p. Roman.
- Curutchet, Jean-Marie, *Je veux la tourmente*, Paris, Robert Laffont, 1973, 334 p. Témoignage.
- Davidenko, Dimitri, *Chouf*, Paris, Éditions Encre, 1979, 250 p. Roman.
- Davy, Michel, *L'Écho du Djebel*, Paris, La Pensée universelle, 1994. Récit autobiographique.
- Debernard, Jean, *Feuille de route*, Paris, Éditions Climats, 1992, 93 p. Roman; *Simples soldats*, Arles, 2001, 202 p. Roman; *Simples soldats*, Arles, Actes Sud, 2006, 240 p.
- Delacour, Michel, *Cavalier en Algérie*, Paris, La Pensée universelle, 1992, 246 p. Témoignage.
- Deleuse, Robert, *Retour de femme*, Paris, Denoël, coll. Sueurs froides, 1991, 228 p. Roman.
- Deligny, Henri, *« H. S. » Hors Service*, Lausanne, Éditions de La Cité, 1961. Roman.
- Delivre, Jacques, *Le Carabin rouge*, Les Sables-d'Olonne, Le Cercle d'Or, 1985, 198 p. Témoignage.

- Delval, Jacques, *Le Train d'El Kantara*, Paris, Flammarion, 1987, 94 p. Roman.
- Denoyer, François, *Quatre Ans de guerre en Algérie. Lettres d'un jeune soldat*, Paris, Flammarion, 1962, 220 p. Témoignage.
- Déon, Michel, *L'Armée d'Algérie et la pacification*, Paris, Plon, 1959. Essai.
- Derey, Jean-Claude, *Piton bleu*, Paris, Denoël, 1985, 300 p. Roman; *Fièvre indigo*, Paris, La Table ronde, 1991, 308 p. Roman.
- Doly-Linaudière, Guy, *L'Imposture algérienne*, Paris, Filipacchi, 1992, 300 p. Témoignage.
- Doumenc, Philppe, *Les Comptoirs du Sud*, Paris, Le Seuil, 1989, 410 p. Roman.
- Dreyer, Pierre, *J'étais appelé dans les Aurès*, Paris, La Pensée universelle, 1984, 171 p. Témoignage.
- Dubos, Alain, *L'Embuscade*, Paris, Presses de la Cité, coll. Frères d'armes, 1983, 235 p. Histoire.
- Duranteau, Claude, *Au Royaume des enfants de Tagdoura*, Centre vendéen de recherches historiques, 2006, 203 p.
- Durif, Eugène, *B. M. C.*, Paris, Comp'Act, 1991, 50 p. Théâtre.
– Enria, Roger, *Mon poste en Kabylie*, Rillieux-la-Pape, chez l'auteur, 1981, 287 p. Mémoires; *Les Chasseurs d'Akfadou*, Rillieux-la-Pape, chez l'auteur, 1992, 342 p. Mémoires.
- Erlingsen, Hélène, *Soldats perdus, de l'Indochine à l'Algérie, dans la tourmentes des guerres coloniales*, Paris, Bayard, 693 p.
- Esnault, Michel, *L'Algérie d'un appelé*, Mamers, chez l'auteur, 1975, 272 p. Mémoires.
- Faivre, Maurice, *Un village de harkis. Les Babous au pays drouais*, Paris, L'Harmattan, 1994, 253 p. Essai.
- Farale, Dominique, *La Légion a la peau dure*, Paris, France-Empire, 1964, 303 p. Roman.
- Fauchon, Paul, *Journal de marche, Kabylie juillet 1956-mars 1957*, Montpellier, université Paul Valéry, 1997, 137 p. Témoignage.
- Favrel, Charles, *Ci-devant légionnaire*, Paris, Presses de la Cité, 1962, 283 p. Roman.
- Favrelière, Noël, *Le Désert à l'aube*, Paris, Editions de Minuit, 1960, 208 p. Roman; *Le Déserteur*, Paris, Lattès, 1973, 278 p. Roman.
- Ferdi, Saïd, *Un enfant dans la guerre*, Paris, Le Seuil, 1982, 165 p. Roman.
- Flammant, Thierry, *La Guerre d'Algérie vue de Touraine (1954-1962)*, Tours, chez l'auteur, 1989, 126 p. Mémoires.
- Fleury, Georges, *La Guerre des appelés. Algérie*, Paris, Plon, 1993, 643 p. Récit historique.
- Fontanges, Guillaume de, *Les ailes te portent*, Paris, Éditions Maritimes et d'Outre-mer, 1981,

296 p. Témoignage.
- Forestier, Jean, *Chronique d'un appelé en Algérie*, Vert-Saint-Denis, chez l'auteur, 1986, 135 p. Témoignage; *Une gueule cassée en Algérie*, Paris, Saurat, 1987, 138 p. Témoignage.
- Foulquier, René, *Les Défricheurs de mirage*, Périgueux, P. Fanlac, 1983, 205 p. Témoignage.
- Frédefon, Luc, *Le Grand Guignol, ou la vie quotidienne d'un appelé en Algérie*, Mérignac, Édibord, 1981, 219 p. Témoignage.
- Frémont, Armand, *Les Carnets de terrain d'un géographe*, Paris, Maspero, 1983, 276 p. Autobiographie.
- Froidure, Michel, *Où était Dieu ? Lettres de révolte et d'indignation d'un appelé en Algérie*, Paris, Éditions Awal, 2006, 216 p.
- Fyot, Pierre, *Le Vent de la Toussaint*, Paris, Nouvelles Éditions Latines, 1967, 137 p. Roman.
– Gaildraud, Jean-Pierre, *Il était une fois les années algériennes*, préface de Benjamin Stora, Saint-Ouen-en-Brie, La Lucarne Ovale, 1992, 122 p. Autobiographie; *Au-delà de l'oued*, Limoges, Éditions Flanent, 2000, 116 p. Roman.
- Garanger, Marc, *La Guerre d'Algérie vue par un appelé du contingent*, préface de Francis Jeanson, Paris, Le Seuil, 1984, 133 p. Photos.
- Gay, Michel, *Deux Ans au jus pour les grandes permes*, Paris, Éditions du Scorpion, 1960, 255 p. Roman.
- Geoffroy, Pierre, *La Part du vent*, Paris, La Pensée universelle, 1971, 192 p. Roman.
- Gohier, Jacques, *Instructeur en Algérie*, Rodez, Subervie, 1966, 161 p. Témoignage; *L'Aventure méhariste*, préface du colonel Lefort des Ylouses, Loudéac, Yves Salmon, 1991, 173 p. Histoire.
- Grall, Xavier, *La Génération du Djebel*, Paris, Editions du Cerf, 1962. Essai.
- Grandjean, Claude, *L'Oppidum*, La Pensée universelle, 1976, 314 p. Roman.
- Grendel, Frédéric, *Le Traité de paix*, Paris, Julliard, 1960, 188 p. Roman.
- Grenetier, Georges, *Yasmina*, Paris, Criterion, 1993, 402 p. Roman.
- Groussard, Serge, *La Guerre oubliée*, Paris, Plon, 1974. Autobiographie.
- Guégen, Émile-René, *Volontaire*, Paris, Grasset, 1986, 335 p. Témoignage.
- Guiffray, Louis, *On m'appelait Boulaya*, Paris, France-Empire, 1959, 304 p. Témoignage.
- Guillaume, Roger, *La guerre était notre lot. Récit d'un soldat*, Nice, chez l'auteur, 1981, 197 p. Témoignage; *La Petite Guerre des guérillas*, Nice, chez l'auteur, 1982, 191 p. Témoignage; *Les Larmes du Bois d'Arsot. Récit d'une bataille*, Nice, chez l'auteur, 1986, 181 p. Témoignage;

Ainsi passèrent leurs vies. Mémoires d'une famille de soldats, Nice, chez l'auteur, 1988, 174 p. Témoignage.

- Guyotat, Pierre, *Tombeau pour cinq cent mille soldats*, Paris, Gallimard, 1967, 496 p. Roman.

- Héduy, Philippe, *Au lieutenant des Taglaïts*, Paris, La Table ronde, 1960 ; nouvelle éd. Editions SPL, Paris, 1983, 341 p. Témoignage.

- Higelin, Jacques, *Lettres d'amour d'un soldat de 20 ans*, Paris, Hachette, Livre de Poche, 1987, 250 p. Témoignage.

- Hovette, Pierre, *Capitaine en Algérie*, Paris, Presses de la Cité, 1978, 221 p. Témoignage.

- Hoyau, Pierre, *Sur les pitons du Djurdjura*, Paris, L'Ancien d'Algérie, 1976. Autobiographie.

- Huitric, Éric, *11ᵉ Choc*, Paris, La Pensée moderne, 1976, 250 p. Essai.

- Humbert, Marcel, *Le Chant de l'alouette*, Paris, La Pensée universelle, 1977, 222 p. Roman.

- Hurst, Jean-Louis, *Le Déserteur de Maurienne*, Paris, Manya, 1991, 95 p. ; 1ʳᵉ éd. 1960. Essai.

- Hutin, Jean-Pierre, *Profession, j'aime la guerre*, Paris, Lettres du Monde, 1986, 156 p. Témoignage.

- Iannuci, Ugo, *Soldats dans les gorges de Palestro, journal de guerre*, Lyon, Aléas, 2002, 100 p. Témoignage.

- Ikor, Roger, *Les Murmures d'une guerre*, Paris, Albin Michel, 1961, 287 p. Roman.

- Jacquemard, Claude, *Chélia, duel dans l'Aurès*, Paris, Presses de la Cité, 1965. Roman.

- Inrep, Jacques, *Soldat, peut-être, tortionnaire jamais*, Préface de Pierre Vidal Naquet, Paris, Scripta, 2006, 267 p.

- Jaffrès, Jean-Yves, *La Vie des soldats bretons dans la guerre d'Algérie (1954-1962)*, Bannalec, 2000, 415 p. Témoignages.

- Jauffret, Jean-Charles, *Soldats en Algérie, 1954-1962*, Paris, Éditions Autrement, 2001, 368 p. Histoire ; *Ces officiers qui ont dit non à la torture, Algérie, 1954-1962*, Paris, Éditions Autrement, 2005, 172 p.

- Jay, Paul, *Des années sans cerises*, Paris, Aléas, 2005, 278 p.

- Joly, François, *L'Homme au mégot*, Paris, Gallimard, 1990, 220 p. Roman.

- Jouhaud, Edmonde, *Ce que je n'ai pas dit*, Paris, Fayard, 1974, 433 p. Autobiographie.

- Kayanakis, Nicolas, *Derniers Châteaux en Espagne*, Paris, La Table ronde, 1966, 303 p.

- Kelly, Georges-Amstrong, *Soldats perdus. L'armée française en crise (1947-1962)*, Paris, Fayard, 1967, 481 p. Essai.

- Kerruel, Yves, *Le Soldat nu*, Paris, Julliard, 1974, 217 p. Roman.

- Klotz, Claude, *Les Appelés*, Lattès, 1982, 259 p. Roman.

- Labro, Philippe, *Des feux mal éteints*, Paris, Gallimard, 1967, 377 p. Roman.

- Lamarque, Pierre, *Tombeau pour quelques soldats*, Paris, France-Empire, 1982, 205 p. Roman.

- Landais, Yves, *Les Olives rouges*, Vannes, FNACA du Morbihan, 1979, 303 p. Témoignage; *Les Cris du désespoir. L'Algérie, séquelle de guerre*, Vannes, FNACA du Morbihan, 1985, 268 p. Témoignage.

- Lantenac, Pierre, *Chaque homme est un drapeau*, Paris, Presses de la Cité, 1972, 253 p. Roman.

- Lartéguy, Jean, *Les Centurions*, Paris, Presses de la Cité, 1959, 415 p. Roman; *Les Prétoriens*, Paris, Presses de la Cité, 1961, 328 p. Roman.

- Laurini, Robert, *Djebel*, Guéret, chez l'auteur, 1970. Autobiographie.

- Le Borgne, Claude, *La guerre est morte*, Paris, Grasset, 1986, 284 p. Roman.

- Le Carvennec, Antoine, *La Mémoire chacale*, Paris, Hachette, 1983, 305 p. Roman.

- Leclair, Bertrand, *Une guerre sans fin*, Paris, Libella, 2007, 316 p.

- Le Goff, Robert, *Soldats bretons en Algérie*, Morlaix, Le Télégramme, 2001, 222 p. Témoignages.

- Lecornec, Michel, Flament, Marc, *Appelés en Algérie*, Paris, La Pensée moderne, 1964. Témoignage; *Le Livre blanc de l'armée française en Algérie*, Paris, Contretemps, 2002, 208 p. Témoignages.

- Léger, Paul-Alain, *Aux carrefours de la guerre*, Paris, Albin Michel, 1983. Autobiographie.

- Lejaunic, Hervé, *Le Bataillon des hors-la-loi*, Paris, Albin Michel, 1972, 408 p. Histoire.

- Lemahieu, Daniel, *Djebels*, Paris, Actes Sud, Papiers, 1988, 64 p. Théâtre.

- Lemallet, Martine, *Lettres d'Algérie (1954-1962). La mémoire des appelés d'une génération*, Paris, Lattès, 1992, 359 p. Lettres.

- Le Mire, Henri, *Histoire militaire de la guerre d'Algérie*, Paris, Albin Michel, 1982, 408 p. Histoire.

- Les élèves de l'Atelier Patrimoine et du club photo du collège public de Morez, *La Parole plutôt que le silence*, Éditions de l'Atelier Patrimoine, coll. La Mémoire retrouvée, Lons, 1994, 99 p. Mémoires.

- Leulliette, Pierre, *Saint Michel et le dragon. Souvenirs d'un parachutiste (1954-1957)*, Paris, Éditions de Minuit, 1961, 358 p. Autobiographie.

- Liscia, Richard, *Le Conscrit et le général*, Paris, La Table ronde, 1980, 246 p. Roman.

- Lorne, Alain, *La Route brûlée*, préface de Gilles Perrault, Paris, Phébus, 1995, 135 p. Roman.
- Lousteau, Henry-Jean, *Guerre en Kabylie (1956-1961)*, Paris, Albin Michel, 1985, 247 p. Témoignage; *Les Deux Bataillons*, Paris, Albin Michel, 1987. Témoignage.
- Mabire, Jean, *Commando de chasse*, Paris, Presses de la Cité, coll. Troupes de choc, 1984. Récit.
- Machin, René, *Djebel 56*, Lettres du monde, 1978, 286 p. Témoignage.
- Magnan, Jean, *Algérie 54-62*, Paris, Éditions Théâtrales, 1990, 80 p. Théâtre.
- Maillard de la Morandais, Alain, *L'honneur est sauf. Prêtre, officier en Algérie*, Paris, Le Seuil, 1990, 370 p. Témoignage.
- Malori, Jean, *Une traversée gratuite*, Paris, Gallimard, 1960, 167 p. Roman.
- Manan, Jean, *Les Mémoires de Bidasse*, Paris, Julliard, 1963, 228 p. Reprise en volume de la chronique « Allô, ici Bidasse » parue depuis 1957 dans *Le Canard enchaîné*.
- Manevy, Alain, *L'Algérie à vingt ans*, Paris, Grasset, 1960. Autobiographie.
- Marceau, Daniel, *J'ai eu vingt ans en Kabylie*, Paris, L'Harmattan, 1996, 76 p.
- Marinier, Gérard, *Ils ont fait la guerre d'Algérie, quarante personnalités racontent*, Maçon, Éditions MI (FNACA), 1983, 168 p. Témoignage.
- Marle, Louis, *De la Bourgogne à la Bataille d'Alger*, Paris, La Pensée universelle, 1973, 256 p. Autobiographie.
- Maschino, Maurice, *Le Refus*, Paris, Maspero, 1960, 208 p. Témoignage; *L'Engagement*, Paris, Maspero, 1961, 136 p. Témoignage.
- Mattei, Georges, *Disponibles*, Paris, Maspero, 1961, 169 p. Témoignage; *La Guerre des gusses*, Paris, Balland, 1982, 235 p. Roman.
- Mayor, Édouard, *1956, Lettres d'un rappelé*, Paris, La Pensée universelle, 1992, 81 p. Témoignage.
- Meliani, Abdelaziz, *La France honteuse. Le drame des harkis*, Paris, Perrin, 1993, 219 p. Essai.
- Mercier, Jacques, *J'étais un capitaine*, Paris, Éditions du Scorpion, 1964, 224 p. Témoignage.
- Moinet, Bernard, *Journal d'une agonie*, Éditions Saint-Just, 1965, 235 p. Témoignage.
- Mondoloni, Jacques, *Le Jeu du Petit Poucet*, Paris, Gallimard, 1994, 186 p.
- Montagnon, Pierre, *Pas même un caillou*, Paris, Pygmalion, 1990, 232 p. Roman.
- Murray, Simon, *Légionnaire, 22 février 1960-12 février 1965*, préface d'Erwan Bergot, Paris, Pygmalion, 1988, 320 p. Autobiographie.
- Mus, Paul, *Guerre sans visage. Lettres du sous-lieutenant Émile Mus*, Paris, Le Seuil, 1961, 192 p. Témoignage.
- Musso, Frédéric, *Martin est aux Afriques*, Paris, La Table ronde, 1978, 240 p. Roman.
- Orr, Andrew, *Ceux d'Algérie. Le silence de la honte*, Paris, Payot, 1990, 246 p. Témoignage.
- Pancrazi , Jean-Noël, *Madame Arnoul*, Paris, Gallimard, Folio, 1997, 132 p. Roman.
- Parisy-Vinchon, France, *Là où la piste s'arrête*, préface de Benjamin Stora, Paris, Muller, 1992, 229 p. Témoignage.
- Paulian, Pierre, *Huit Cents Jours dans l'Ouarsenis*, Paris, Grancher, 1995. Autobiographie.
- Pauthe, Serge, *Lettres aux parents. Correspondance d'un appelé en Algérie*, Paris, L'Harmattan, 1993, 239 p. Lettres.
- Pélissier, Pierre, *Saint-Cyr. Génération Indochine-Algérie*, Paris, Plon, 1992, 470 p. Histoire.
- Périot, Gérard, *Deuxième Classe en Algérie*, Paris, Flammarion, 1962, 282 p. Témoignage.
- Perrault, Gilles, *Les Parachutistes*, Paris, Le Seuil, 1961, 192 p. Roman.
- Perrot, Roland, *R. A. S.*, Martineau, chez l'auteur, 1970. Autobiographie.
- Petitjean, Marcel, *Récits d'une guerre*, Saint-Juéry, chez l'auteur, 1988, 127 p. Témoignage.
- Pitton, Guy, *Onze Mois chez les Bérets noirs, le contingent en Algérie*, Aix-les-Bains, chez l'auteur, 1981. Témoignage.
- Plisson, Odile, *J'étais assistante sociale avec les combattants d'Algérie*, Paris, La Pensée universelle, 1972, 223 p. Témoignage.
- Pons, Jean, *Là-bas dans les djebels*, Mâcon, chez l'auteur, 1985. Roman.
- Porteu de la Morandière, François, sous la direction de, *Soldats du Djebel, histoire de la guerre d'Algérie*, Paris, Société de production littéraire, 1979, 379 p. Photos. Histoire.
- Pouget, Jean, *Bataillon RAS*, Paris, Presses de la Cité, 1982, 380 p. Roman.
- Pouillot, Henri, *La Villa Susini*, Paris, Tirésias, 2002, 152 p. Témoignages.
- Pozner, Vladimir, *Le Lieu du supplice*, Paris, Julliard, 1959. Roman.
- Puicercus, Pierre, *À chacun sa vie*, Paris, La Pensée universelle, 1988, 254 p. Témoignage.
- Queffélec, Yann, *Le Charme noir*, Paris, Gallimard, 1983, 272 p. Roman.
- Quris, Bernard, *L'Aventure légionnaire*, Paris, France-Empire, 1972, 559 p. Témoignage.
- Rachline, Michel, *Courrier d'Algérie*, Paris, Lunot Ascot, 1980, 156 p. Témoignage.
- Raissac, Guy, *Un soldat dans la tourmente*, Paris, Albin Michel, 1963, 525 p. Témoignage.

- Raoul, Maurice, *Matricule 4845*, Cazères, chez l'auteur, 1986, 190 p. Témoignage.
- Rémy, Pierre-Jean, *Algérie, bords de Seine*, Paris, Albin Michel, 1992, 359 p. Roman.
- Renaud, Patrick-Charles, *Combats sahariens (1955-1962)*, Paris, Jacques Grancher, 1993, 280 p. Essai.
- Rey, Benoît, *Les Égorgeurs*, Paris, Éditions de Minuit, 1961, 97 p. Témoignage.
- Rosenthal, Philip, *Il était une fois un légionnaire*, traduit de l'allemand par Louis Mézeray, Paris, Albin Michel, 1982, 275 p. Témoignage.
- Robert, Jean-Pierre, *L'Écho du silence*, Paris, Gallimard, 2002, 224 p. Roman.
- Rotman, Patrick, *L'Ennemi intime*, Paris, Le Seuil, 2002, 267 p. Témoignages.
- Rotman, Patrick, Tavernier, Bertrand, *La Guerre sans nom*, Paris, Le Seuil, 1992, 305 p. Témoignages.
- Rugue, Claude, *Journal d'Algérie : à mon amie, écrits de 1955*, Belfort, chez l'auteur, 1983, 46 p. Témoignage.
- Sahuc, Régis, *La Toussaint rouge. Choses vues par un ex-officier des affaires indigènes*, Le Puy-en-Velay, chez l'auteur, 1991, 219 p. Témoignage.
- Saint-Benoît, Claude, *Le Petit Soldat*, Paris, Julliard, 1961, 212 p. Roman.
- Saint-Marc, Hélie Denoix de, *Les Champs de braises*, Paris, Perrin, 1995, 348 p. Autobiographie.
- Salan, Raoul, *Mémoires. Fin d'un Empire*, tomes III et IV, Paris, Presse de la Cité, 1972, 1974, 444 p., 379 p. Mémoires.
- Sales, Claude, *La Trahison*, Paris, Le Seuil, 1999, 93 p. Roman.
- Salvat, Yves, *Souvenirs d'une guerre en Algérie*, Millas, chez l'auteur, 1984, 68 p. Témoignage.
- Sauvaigo, Jean, *La Guerre d'Algérie à cœur ouvert : l'aberrante impéritie du commandement militaire sous de Gaulle*, Cagnes-sur-Mer, Éditions du Diable, 1983, 200 p. Mémoires.
- Servan-Schreiber, Jean-Jacques, *Lieutenant en Algérie*, Paris, Éditions n° 1 et *Paris-Match*, 1982, 160 p. ; 1re éd. Julliard, 1957. Témoignage.
- Sigg, W. Bernard, *Le Silence et la Honte. Névroses de la guerre d'Algérie*, préface de Daniel Zimmermann, Messidor/Éditions Sociales, 1989, 160 p. Essai.
- Simon, Georges, *L'Autre Guerre d'Algérie*, Paris, La Pensée universelle, 1988, 286 p. Témoignage.
- Simon, Henri-Georges, *La Harka*, Nanterre, Académie européenne du livre, 1987, 309 p. Histoire.
- Sirodeau, Jean, sous la direction de, *L'A. R. A. C. et la guerre d'Algérie*, Villejuif, Le Réveil du Combattant, 1992, 127 p. Témoignage.
- Stil, André, *Le Foudroyage*, Paris, Éditeurs français réunis, 1960, 272 p. Roman; *Trois Pas dans une guerre*, Paris, Grasset, 1978. Roman.
- Syreigeol, Jacques, *Une mort dans le Djebel*, Paris, Gallimard, coll. Série noire, 1990, 184 p. Roman; *Miracle en Vendée*, Paris, Gallimard, coll. Série noire, 1991, 182 p. Roman.
- Tanant, Pierre, *Algérie, quatre ans d'une vie*, Paris, Arthaud, 1973. Autobiographie; *Témoignages. La Guerre d'Algérie, les combats du Maroc et de Tunisie*, Paris, Éditions de la FNACA, 1987. Archives. Témoignages.
- Tenne, Claude, *Mais le diable marche avec nous*, Paris, La Table ronde, 1968, 256 p. Témoignage.
- Tétu, Guy, *Les Aventures de Gabriel*, Besançon, chez l'auteur, 1981, 268 p. Témoignage.
- Thieuloy, Jack, *Voltigeur de la lune*, Paris, Ramsay, 1984. Roman.
- Thomas, Pierre-Alban, *Les Désarrois d'un officier en Algérie*, Paris, Le Seuil, 2002, 276 p. Autobiographie.
- Todd, Olivier, *Les Paumés*, préface de Jean-Paul Sartre, Paris, UGE, coll. 10/18, 1973. Roman; *La Négociation*, Paris, Grasset, 1989, 352 p. Roman.
- Touchais, Bernard, *Le Lieutenant Verberie*, Paris, Fayard, 1972. Roman.
- Trinquier, Roger, *La Guerre moderne*, Paris, La Table ronde, 1961, 196 p. Essai.
- Valero, Georges, *La Méditerranée traversait la France*, Grenoble, Presses Universitaires, 1980. Essai.
- Venner, Dominique, *Le Cœur rebelle*, Paris, Les Belles Lettres, 1994, 202 p.
- Vila, Thierry, *L'Oiseau silencieux*, Paris, Balland, 1989, 190 p. Roman.
- Vittori, Jean-Pierre, *Nous, les appelés d'Algérie*, Paris, Stock, 1977, 322 p. Témoignages ; *Un moment d'inattention*, Paris, Stock, 1979. Roman ; *Les Confessions d'un professionnel de la torture*, Paris, Ramsay, 1980, 234 p. Témoignage.
- Warnier, Philippe, *La Décision*, Paris, Nouvelle Cité, 1990, 474 p. Autobiographie.
- Yonnet, Daniel, *La Marche des anges ou L'Innocence violée*, Paris, Lattès, 1987. Roman.
- Ysquierdo, Antoine, *Une guerre pour rien : le 1er R. E. P. cinq ans après*, Paris, La Table ronde, 1966, 247 p. Témoignage.
- Yvane, Jean, *L'Arme au bleu*, Paris, Grasset, 1978, 220 p. Roman.
- Zimmermann, Daniel, *Quatre-Vingts Exercices en zone interdite*, Paris, Robert Morel, 1961, 84 p. Témoignage; *Nouvelles de la zone interdite*, Paris, Éditions de l'Instant, 1989, 120 p. ; nouvelle éd. Manya, 1992. Témoignage.

FILMOGRAPHIE

Images du soldat d'Algérie
dans le cinéma français

- *Muriel*, d'Alain Resnais, 1962.
- *La Belle Vie*, de Robert Enrico, 1963.
- *Les Parapluies de Cherbourg*, de Jacques Demy, 1964.
- *Le Pistonné*, de Claude Berri, 1969.
- *Avoir 20 ans dans les Aurès*, de René Vautier, 1971.
- *R. A. S.*, d'Yves Boisset, 1973.
- *La Question*, de Laurent Heynemann, 1976.
- *L'Honneur d'un capitaine*, de Pierre Schoendoerfer, 1982.
- *Cher Frangin*, de Gérard Mordillat, 1988.
- *Le Vent de la Toussaint*, de Gilles Behat, 1990.
- *La Guerre sans nom*, de Bertrand Tavernier et Patrick Rotman, 1992.
- *C'était la guerre*, de Maurice Faivelic et Ahmed Rachedi, 1992.
- *Des feux mal éteints*, de Serge Moati, 1994.
- *Le Fusil de bois*, de Pierre Delerive, 1995.
- *La Trahison*, de Philippe Faucon, 2005.
- *Mon colonel*, de Laurent Herbiet, 2007.
_ *L'Ennemi intime*, de Florian Emilio Siri, 2007.

TABLE DES ILLUSTRATIONS

COUVERTURE

1er plat Appelés embarquant pour l'Algérie en 1956, photo.
Soldat à Aïn Terzine, 1960, photo.
Des appelés quelque part dans le djebel, photo.
Dos Soldat dans le Sud algérien, photo.
2e plat Fouille d'une zone interdite près de Bougie, photo.

OUVERTURE

1-9 Photographies prises par des appelés durant leur service en Algérie témoignant de leur quotidien. En fond, des pages d'un cahier de notes d'un appelé.
9 Soldat assis avec un enfant algérien, photo.

CHAPITRE I

10 Appelés attendant d'effectuer un saut en parachute, Alger, 1960, photo.

11 Affiche de la FNACA (Fédération nationale des anciens combattants en Algérie) pour le 35e anniversaire de la fin de la guerre d'Algérie.
12h «Dégustation de biscuit de guerre avec mon ami Jean-Pierre Cognet», photo.
12m «Souvenir de la 4e section, 1958», photo.
13m Guide d'Alger.
13b «La 4e section, septembre 1958», photo.
14h Attestation par laquelle le gouvernement reconnaît les services rendus par Monsieur Pierre Viard qui a participé aux opérations de sécurité et de maintien de l'ordre en Afrique du Nord, mai 1991.
14m et 14b Manifestation des anciens combattants d'Afrique du Nord aux Invalides à Paris en 1994, photo.
15 Couverture de *Paris-Match*, nov. 1954.
16-17 Automitrailleuses en position d'alerte près de l'école de M'Chouneche (Aurès) le 11 nov. 1954, photo.
18h Une de *L'Algérie libre*, 11 mars 1950.
18-19 Directives du général Cherrière, 13 mai 1955 (extrait).
19 Obsèques des victimes de Philippeville, août 1955, photo.
20h Arrivée à Alger de la 27e division d'infanterie alpine, 1955, photo.
20m Couverture de *L'Express*, 10 septembre 1955.
20b Couverture de *Tout Savoir*, juin 1955.
21h Ferhat Abbas, photo.
21b Les délégués de l'assemblée Algérienne sont reçus à l'Élysée, octobre 1953, photo.
22g Manifestation d'étudiants contre la guerre d'Algérie, juin 1956, photo.
22d Affiche pour les législatives de février 1956.
23h «L'armée française en Algérie, pacifier et unir», affiche de Fontaine, 1956.
23b Soldat en Algérie, photo, 1956.
24g «Bon pour le service», photo.
24d Couverture de *Paris-Match*, juin 1956.
24-25h Capture d'un combattant, 1956, photo.
25 Opération de ratissage par le 1er RCP dans les Nementchas, 1956, photo.
26 Attentat près de la cathédrale d'Alger, 1956, photo.
27h Pierre Dumas, seul rescapé de l'embuscade de Palestro, à l'hôpital d'Alger, 1956, photo.
27b Soldats de l'ALN dans le maquis kabyle, 1956, photo.

CHAPITRE II

28 Soldat français arrivant en Algérie en octobre 1956, photo.

29 «L'armée veille», carte postale, détail.

30 Arrivée de soldats à Alger, juin 1956, photo.

30-31 Appelés arrivant à Alger, 1957, photo.

32 Couverture du Guide pratique à l'usage des militaires servant dans les formations du corps d'armée d'Alger.

32-33 Dessin extrait de la brochure «Tu es soldat» remise au soldat lors de son arrivée en Algérie.

33g Arrivée de réservistes au camp du Lido, 27 octobre 1955, photo.

33d «Vous êtes venus les protéger», affiche.

34 La sieste devant une mechta du casernement d'Aïn Terzine, avril 1960, photo.

34-35 Algérien enrôlé dans l'armée française et son frère, S'Bara, août 1961, photo.

35 Tract destiné aux musulmans pour s'engager dans l'armée française vers 1960.

36g et 36d Harkis à Aïn Terzine en 1960, photo.

37 Carte des divisions administratives et militaires de l'Algérie, infographie de Stéphane Jungers.

38h Le général Ely en 1955, photo.

38-39 Contrôle d'identité en Kabylie, photo.

39 Bigeard en opération, 1956, photo.

40 Opération du 3e RPC de Bigeard, 1956, photo.

40-41 Opération de ratissage dans la vallée du Khémis, 1956, photo.

41 «L'armée de pacification est là, les fellagha s'enfuient», affiche militaire.

42 Femme à l'entrée d'une SAS dans un douar de Kabylie, photo.

43 Lieutenant SAS présidant un conseil de village, photo.

44 Médecin militaire dans le bled, photo.

44-45 Un chef de village vient porter plainte au 3e bureau de pacification du secteur d'Aumale, contre le commando 11, pour coups et mauvais traitements, Aumale, 1961, photo.

45 Un jeune militaire fait la classe en plein air à des enfants musulmans, photo.

CHAPITRE III

46 Parachutiste, photo de Marc Flament, 1959.

47 Insigne du 1er RCP (régiment de chasseurs parachutistes).

48 Insigne des parachutistes coloniaux de Bigeard.

48-49 Un hélicoptère lance sur la Casbah des tracts invitant la population au calme, février 1957, photo.

49 Salan et Lejeune en 1956, photo.

50 Fouille dans la Casbah, 1957, photo.

51h Arrestation de Yacef Saadi, septembre 1957, photo.

51b Fouille dans la Casbah, février 1957, photo (détail).

52h Le général Paris de la Bollardière, photo.

52 Prisonnier détenu par les parachutistes, photo.

52-53 «Les odieuses pratiques policières», extrait d'un tract du Secours populaire français.

53 Couverture du livre d'Henri Alleg La Question, 1958.

54 Suspects internés dans un camp de Petite Kabylie, mars 1957, photo.

54-55 Poste militaire français du Mezdour près d'Aumale, 1960, photo.

55 «La vie sauve aux condamnés à mort algériens», extrait d'un tract du Secours populaire français, 1957.

56 Tir au 75 sans recul sous le feu des «rebelles», à Bir el Ater, 1958, photo de Marc Flament.

57 Mort d'un soldat lors de l'opération Timimoun I sous les ordres du colonel Bigeard, idem.

58h Boumediene et son état-major, photo, 1958.

58d Le lieutenant-colonel Jeanpierre, photo.

58-59 «Les dangers de la ligne Morice», bande dessinée extraite d'un tract de l'armée française.

59 Soldat de l'ALN électrocuté, octobre 1957, photo.

60 Les militaires français posent des affiches du général de Gaulle avant son arrivée à Alger en juin 1958, photo.

60-61 Opération héliportée en 1959, photo.

61 «Il faut vous implanter dans le djebel», une de L'Écho d'Oran, 1959.

62-63 Opération héliportée, 1959, photo.

64g «Heures tragiques à Alger», couverture de Paris-Match, 6 février 1960.

64 Les parachutistes écoutent le discours de De Gaulle à la radio, photo, idem.

65 Manifestation FLN à Alger en décembre 1960, photo.

66 Carrefour gardé par les parachutistes à Alger, avril 1961, photo, Paris-Match, 6 mai 1961.

66-67 Les appelés du contingent écoutent de Gaulle sur leurs transistors, photo de Jean-Claude Sauer.

67 Au balcon du gouvernement général (de droite à gauche : Jouhaud, Salan, Challe, Zeller), avril 1961, photo.

68h Boîte d'allumettes avec le sigle de l'OAS.

68b Soldat dans Bab-el-Oued, mars 1962, photo.

69 Près de Blida, des soldats apposent

une affiche «Paix en Algérie», mars 1962, photo.

CHAPITRE IV

70 Soldats lisant *Le Bled*, 1956, photo.
71 Affiche de la fondation Maréchal-de-Lattre en faveur des soldats en Algérie, 1958.
72h Fusiliers marins dans la vallée de la Soummam, photo.
72b Appelés dans le jardin d'Essai d'Alger, photo.
73b Soldats au-dessus de Bougie sur la corniche kabyle, photo.
74-75h Poste de garde à la frontière marocaine, photo.
74-75b Soldat sur le port d'Alger, photo (détail).
76h Publicité pour le journal *Le Bled*, 1958.
76b «Surprise-partie à Mazagran», 20 août 1960, photo.
77 Officiers radio, photo.
78 Au repos sur le lit, mai 1959, photo.
78-79 Soldats à Alger, juin 1961, photo, détail.
79 Militaires français fêtant le «Père Cent», Aïn Terzine, juillet 1960, photo.
80 Soldat sur un piton, photo.
80-81 Soldats marchant dans un lit d'oued, photo.
82 Un aumônier militaire célébrant une messe, photo de Patrice Habans.
83 Femme venant

se plaindre au commandement que sa fille a été violée par des militaires français, dans la région d'Aumale, 1961, photo.
84 Prisonniers FLN malmenés par les militaires français, «Opération H», Bordj Okriss, 1960, photo.
85h Arrestation d'un prisonnier, photo.
85b Ouaïl Mohamed, garde du corps de Saïd Bouakli, exécuté sur le terrain d'une balle en pleine poitrine, Bordj Okriss, mars 1960, photo.
86 Appelés de la classe 58 2/a fêtant le «Père Cent», Aïn Terzine, août 1960, photo.
86-87 Soldats dans la chambrée photo.
87m Soldat lisant, 1957, photo.
87b Militaire avec sa mascotte, photo, 1960.

CHAPITRE V

88 Soldat dans la Casbah, photo, 1960.
89 Le jeu de la quille, 1956.
90 Tract du Parti communiste français (extrait).
90-91 «Pourquoi il ne faut pas déserter», dessin de Siné, juillet 1960.
91 Henri Maillot, photo.
92 Le départ d'Alger, 3 juillet 1962, photo.
92-93h Extrait d'un faire-part humoristique sur le «Père Cent».
92-93b Le «Père Cent» est enterré, octobre

1960, photo.
94 Montage de différents livres-témoignages sur la guerre d'Algérie.
94-95 Deux soldats au repos, photo.
96 Fusilier marin en Kabylie, photo.

TÉMOIGNAGES ET DOCUMENTS

97 Soldats français mangeant des brochettes à Aflou en 1959, photo.
99 Embarquement des troupes françaises pour la guerre d'Algérie, au port de Marseille, en 1957, photo.
100 Liaison radio dans le djebel, photo.
103 Poste d'observation à Tizi-Ouzou, photo.
105h Tissage des tapis dans la rue à Aflou, photo.
105b La traite sous les tamaris dans la région d'Aflou, photo.
107 Un appelé en opération, 1959.
109 Un enfant algérien en Kabylie, devant un char, 1960.
110 Harkis.
112 Logo de l'ARAC.
113 Affiche de la FNACA.

INDEX

A

Abbas, Ferhat 21, *21*.
Accords d'Évian 68.
AFN *12*.
Ageron, Ch. R. 36.
Aït Ahmed, Hocine 18, 48.
Algérie à vingt ans, L' (Alain Manevy) *31*.
Algérie libre, L'

(journal) *18*.
Algérie mal enchaînée, L' (Pierre Boudot) *71*, *95*.
Algérie ou la mort des autres, L' (Virginie Buisson) *77*.
Alleg, Henri *53*.
ALN (Armée de libération nationale) 15, 18, 26, *26*, 38, *51*, 57, 58, *58*, 59, *61*, 82.
«Années algériennes, Les» (série télévisée) 35.
Appelés, Les (Claude Klotz) *29*, 33, *95*.
Argoud, colonel Antoine 52.
Armée :
– 1er bataillon étranger de parachutistes *15*.
– 1er REP (régiment étranger parachutiste) *58*, 66.
– 1er RPC (régiment de parachutistes coloniaux) *49*.
– 2e RPC *49*.
– 3e compagnie de tirailleurs algériens 35.
– 3e régiment étranger d'infanterie *15*.
– 3e RPC 39, *49*, *51*.
– 9e zouaves *49*.
– 10e DP (division de parachutistes) *49*, *50*, 51, *61*.
– 11e BTA (bataillon de tirailleurs africains) *61*.
– 13e demi-brigade de la Légion étrangère *15*.
– 18e RCP (régiment de chasseurs parachutistes) 65.
– 25e DP 65.
– Armée de terre 57.
– Blindés 68.
– «Commandos de chasse» 36.
– Commandos de

marine 39.
- Forces françaises
 actives 38.
- «Forces interarmées»
 37.
- Légion étrangère 27,
 39, 40, *61*.
- Marine 61.
- Parachutistes 15, *16*,
 26, 34, 39, 40, 48, 51,
 53, 55, 61, 64, 85.
- Régiments
 d'infanterie 39.
- Tirailleurs *61*.
- Troupes de
 quadrillage 40, *49*.
«Armée des frontières»
 59.
Associations d'anciens
 combattants :
- ARAC *14*.
- FNACA *11, 14, 33*.
- FNCPG *14*.
- UF *14*.
- UNC-AFN *14*.
Audin, Maurice *53*.
Aurès, les 15, *16*, 18, 36,
 55.
Autodétermination,
 principe d' 64.

B

Bab-el-Oued, bataille
 de 68, *68*, 69, *69*.
Bardery, Jean-Pierre
 79.
«Bataille d'Alger» 48,
 51, 52, 57.
Ben Bella, Ahmed 18,
 48.
Ben Boulaïd, Mostefa
 18.
Ben M'Hidi, Larbi 50.
Berri, Claude 29.
Bigeard, colonel *39*, 40,
 51, 55.
BMC (bordels
 militaires de
 campagne) 78.
Bollardière, général
 Jacques Paris de la 51,
 52.
Bône *37*, 92.
Bonjean, Claude 71.

Bonnaud, Robert *22*,
 27.
Boudiaf, Mohamed 18,
 48.
Boudot, Pierre *71*, 95.
Boumediene, colonel
 58, 59.
Bourgeade, Pierre *73*,
 53, 80.
Bourgoin, Daniel R. *80*.
Bourguiba, Habib 21.
Broizat, colonel 52.
Buisson, Virginie 77.

C

Carrière, J.-C. 86.
Casbah d'Alger 49, *49*,
 50.
Catroux, général 22, 23.
Centre d'assignation à
 résidence surveillée
 54, *55*.
Centurions, Les (Jean
 Lartéguy) 32.
Challe, général 37, *64*,
 66.
Challe, plan 60, *61*, 65,
 73; opérations :
- «Étincelles» *61*.
- «Jumelles» *61*.
- «Pierres précieuses»
 61.
Charme noir, Le (Yann
 Queffélec) 47.
Chauvin, Stéphanie 35.
Cherchell (voir EOR).
Collo, presqu'île de *57*,
 61.
Commandos Delta de
 l'OAS *68*, 69.
Constantine 18, 37, *37*,
 44.
Constantinois *57*, 61,
 61.
Corbel, Maurice *79*.
CRS 15, 20, 36.

D

Debernard, Jean 89.
Des feux mal éteints
 (Philippe Labro) 32,
 86.
Désert à l'aube, Le
 (Noël Favrelière) *90*.

Déserteur, Le (Jean-
 Louis Hurst) *90*.
Déserteurs 91, *91*.
Djurdjura 61.
DOP (Dispositifs
 opérationnels de
 protection) 52.
Ducourneau, colonel
 15.
Dumas, soldat Pierre 27.

E

Éclats du Djebel, Les
 (Maurice Corbel) *79*.
Égorgeurs, Les
 (Benoist Rey) *86*.
Élections du 2 janvier
 1956 22, *22*.
Ely, général 38, *38*.
EOR (école d'officiers
 de réserve) 82, 85.
Esprit (revue) *91*.
Express, L' *20*, 22.

F

Fanon, Frantz 91.
Farès, Abderrahmane
 21, *21*.
Faure, Edgar 18, 21.
Favrelière, Noël *90*.
Feuille de route (Jean
 Debernard) 89.
FLN (Front de
 libération nationale)
 15, 18, 19, 21, *21*, 26,
 41, 42, 48, 49, *49, 50*,
 51, *51*, 52, 54, 55, 58,
 60, *61*, 64, 65.
Fourquet, général 37.
Front républicain 22,
 23.
«FSNA» (Français de
 souche nord-
 africaine) 35, *35*.

G

Gaildraud, Jean-Pierre
 82.
Gaulle, général de 37,
 58, 60, 61, 64, *64*, 65,
 65, 66.
Gérard, Jean-Louis *33*.
GMPR (Groupes

mobiles de protection
 rurale) 35, 36.
GMS (Groupes
 mobiles de sécurité)
 36.
Gouvernement de salut
 public 60.
GPRA
 (Gouvernement
 provisoire de la
 République
 algérienne) 65, 68.
Groupes civils
 d'autodéfense 36, 38.
Guerre des gusses, La
 (Georges Mattei) *89*.
Guerre mondiale,
 Seconde 30.
Guerre oubliée, La
 (Serge Groussard) 74.
Guerre sans nom, La
 (Patrick Rotman et
 Bertrand Tavernier)
 27.

H-I

Hadj, Messali 18.
Harkis (troupes
 supplétives
 musulmanes) 57.
Higelin, Jacques 72.
*Histoire militaire de la
 guerre d'Algérie*
 (Henri Le Mire) 41,
 44.
*Homme au mégot,
 L'* (François Joly) 11.
Hoyau, Pierre 53.
Hurst, Jean-Louis *90*.

*Il était une fois les
 années algériennes*
 (Jean-Pierre
 Gaildraud) 82.
*Ils avaient vingt ans
 dans les djebels*
 (FNACA) *33*.
Indépendance de
 l'Algérie, l' 18, *18*, 21,
 69, 91.
Indochine, guerre d' 15,
 15, 48.
Isly, fusillade de la rue
 d' 58.

J - K

Jeanpierre, colonel 55, *58*.
Jouhaud, général 66.
Kabylie 18, *26*, 38, *45*, 61, *84*; Grande 18, *57*; Petite *57, 61*.
Katibas (compagnies de l'ALN) 58, 73.
Klotz, Claude *29*, 33, *95*.

L

Labro, Philippe 12, 32, 86.
Lacoste, Robert 23, 48.
Lagaillarde, Pierre 64.
Lartéguy, Jean *32*.
Lejeune, Max *48*.
Lettres aux parents (Serge Pauthe) *76*, 87.
Lettres d'Algérie (Martine Lemallet) *67*.
Lettres d'amour d'un soldat de vingt ans (Jacques Higelin) 72.
Leulliette, Pierre *81*.
Lieutenant en Algérie (Jean-Jacques Servan-Schreiber) *30*.
«Ligne Morice» 58, *59*.
Mémoire, Longue La (J. P. Bardery) 79.
Lorillot, général 48.
Lucien chez les barbares (Claude Bonjean) 71.

M

Ma vraie bataille d'Alger (général Massu) *50*.
Maillot, Henri 91.
Marches de Saint-Germain, Les (Daniel R. Bourgoin) 80.
Maroc 12, 15, 21, 21, 42, 55, 58.
Massu, général 40, 49, 50, 50, 51, 51, 52, 60.

Mateos Ruiz, Maurice 84.
Mendès France, Pierre 15, 18, 23.
Michelet, Edmond 52.
Mitterrand, François 15, 54.
Moghaznis 36, 42, 43.
Mohamed V 21.
Mollet, Guy 22, 23, 48.
Monnerot, Guy 16.
«Motion des 61» 21.
MTLD (Mouvement pour le triomphe des libertés démocratiques) 18.

N

Nasser 48.
Négociation, La (Olivier Todd) 73, 74.
Nord-Constantinois 38, 39.
Nous, les appelés d'Algérie (Jean-Pierre Vittori) 74, 95.
Nouvelles de la zone interdite (Daniel Zimmermann) 92.

O

OAS (Organisation armée secrète) 65, 67, 68, 74.
Objecteurs de conscience 91.
ONU 20, 36, 49, 58, 64.
Onze Mois chez les Bérets verts (Guy Pitton) 78.
OPA (Organisation politico-administrative) 52.
Oran 26, 37, *37*, 69, 72, 92.
Oranie 38, *41*, 54, *61*.
Orléansville 61, *91*.
Ortiz, Jo 64.
Ouarsenis 36, *55*, *61*, 74.

«Pacification» 24, *25*, 38, 40, 42, *57*, 58, 94.

P

Paix des braves, La (Jean-Claude Carrière) 86.
Paix des Nementchas, La (Robert Bonnaud) 27.
Palestro 26, *27*.
Philippeville 19, *19*.
Pieds-noirs 27, 67, 78, 64; appelés 35.
Pistonné, Le (Claude Berri) 29.
«Pouvoirs spéciaux», les 23, *23*, 24, 37, 53.
PPA-MTLD *18*.
Putsch des généraux, le 65, 66, 67, *67*.

Q - R

Question, La (Henri Alleg) *53*.
Ramdane, Abbane 51.
«Rappelés» 20, 24, *27*.
Référendum du 8 janvier 1961 64; du 3 juillet 1962 69.
République, IVe 54, 60.
Rocard, Michel 55.
Rotman, Patrick *27*.

S

Saadi, Yacef 50, *51*.
Sahara 37.
Saint Michel et le dragon (Pierre Leulliette) *81*.
Salan, général Raoul 48, *48, 49*, 58, 65, 66.
SAS (Sections administratives spéciales) 36, 41, 42, *42*, 44, *45, 57, 65*.
Semaine des Barricades, la *64*.

Serpents, Les (Pierre Bourgeade) *73*, 53, 80.
Servan-Schreiber, Jean-Jacques *30*.
Sétif 61.
Sidi Bel-Abbès 85.
Sigg, Bernard *93*.
Sikorsky H34, hélicoptères 60, *60*.
Silence et la Honte, Le (W. Bernard Sigg) *93*.
Soustelle, Jacques 19, *19*, 22.
Suez, expédition de 48, *49*.
Sur les pitons du Djurdjura (Pierre Hoyau) *53*.

T

T6, avions *68*.
Torture, la 44, 45, 50, 51, 52, *53*, 85, 90.
«Tournée des popotes», la 91.
TPFA (Tribunal permanent des forces armées) 54.
Trinquier, colonel 52.
Tunisie *12*, 15, 21, *21*, 55, 58.

U - V

UNEF (Union nationale des étudiants de France) 32.
Vichy, régime de 90.
Vidal-Naquet, P. 52.

Z

ZAA (Zone autonome d'Alger [ALN]) 50.
Zabana, Ahmed 54.
Zeller 66.
Zimmermann, Daniel 92.

CRÉDITS PHOTOGRAPHIQUES

ACHAC, Paris 1, 20b, 29, 33d, 41, 69. AFP, Paris 16-17, 26, 30h, 52b, 68, 69, 91. Agence Top, Paris 75. Agip, Paris 38. Arac 112. Associated Press 45. Bail René, Paris couv. dos, 47, 48, 60-61, 72h, 110. Berthier 3h, 3b, 4b, 6b. Charmet, Paris 35. CIRIP, Paris 23h, 74h, 89. Deixone René, Balaruc-les-Bains 12. D.R. 20m, 22d, 49, 61, 94. ECPA, Ivry-sur-Seine 7b, 20h, 25, 30-31, 33g, 40, 40-41, 46, 52h, 54, 56, 57, 59, 68, 85 m&b. FNACA, Paris 11, 113. Gaildraud Jean-Pierre 2e plat de couverture, 38-39, 73b, 83h, 100. Gamma, Paris 39. Garanger Marc, Paris 1er plat de couverture, 34, 34-35, 36g, 36d, 44-45, 54-55, 76-77, 77, 81, 82, 83b, 84, 92-93b. Keystone, Paris 21, 22g, 27h, 28, 48-49, 51h, 60, 94-95, 103. Keystone, Paris/Archives Humanité 14m, 14b. René Knégévitch, 58-59, 78, 97, 104, 105. Magnum-photos / Nicolas Tikhomiroff 10, 72-73b, Sergio Larrain 88. Bernard Minet 1-7 (fond). Paul Markidès, Romainville 52-53, 53, 55, 90. Musée de l'Histoire Vivante, Montreuil 32bd. Gérard Oudin 2b, 5h. Paris-Match 15, 19, 24d, 51b, 64, 66, 66-67, 80. Rapho/Sciarli, Paris 1er plat de couverture. Rue des Archives/Gerald Bloncourt 99. Siné, Paris 90-91. Sipa/Dalmas, Paris 24-25. Sipa/Éclair Mondial, Paris 23b. Tallandier, Paris 18, 18-19, 27b, 44, 50, 58, 65, 67, 68h, 84-85. Top/Charbonnier 2h, 7h, 109. Vallat Roland, La-Roche-sur-Yon, 1, 4h, 6h, 74b, 92. Viard Pierre, Vercheny 1er plat de couverture, 13m, 3b, 5b, 14h, 24g, 32-33, 92-93h, 107.

REMERCIEMENTS

L'auteur tient à remercier tous ceux qui ont bien voulu apporter leur témoignage d'«ancien d'Algérie» et tout particulièrement : Claude Bonjean, Noël Favrelière, Jean-Pierre Gaildrauld, Jean-Louis Gérard, Jean-Louis Hurst, France Parisy-Vinchon, Serge Pauthe, Maurice Mateos Ruiz, Bernard W. Sigg, Daniel Zimmermann.
L'éditeur remercie l'ARAC (Association républicaine des anciens combattants) qui nous a permis de consulter et de reproduire des documents confiés par ses adhérents ainsi que Paul Markidès qui a été notre interlocuteur privilégié tout au long de la réalisation de cet ouvrage.
Nous témoignant une confiance qui nous a touchés, d'anciens appelés en Algérie ont fort gentiment autorisé la reproduction de leurs photos personnelles : Messieurs Berthier, René Deixone, Jean-Pierre Gaildrauld, René Knésevitch, Guy Léger, Maurice Mateos Ruiz, Bernard Minet, Gérard Oudin, Roland Vallat, Pierre Viard.

ÉDITION ET FABRICATION

DÉCOUVERTES GALLIMARD
COLLECTION CONÇUE PAR Pierre Marchand.
DIRECTION Elisabeth de Farcy.
COORDINATION ÉDITORIALE Anne Lemaire.
GRAPHISME Alain Gouessant.
COORDINATION ICONOGRAPHIQUE Isabelle de Latour.
SUIVI DE PRODUCTION Fabienne Brifault.
SUIVI DE PARTENARIAT Madeleine Giai-Levra.
RESPONSABLE COMMUNICATION ET PRESSE Valérie Tolstoï.
PRESSE David Ducreux et Alain Deroudilhe.

APPELÉS EN GUERRE D'ALGÉRIE
ÉDITION Anne Lemaire.
ICONOGRAPHIE Maud Fischer-Osostowicz.
MAQUETTE Valentina Leporé (Corpus) et Palimpseste (Témoignages et Documents).
LECTURE-CORRECTION Pierre Granet et Catherine Lévine.
PHOTOGRAVURE AEC.

Né à Constantine en 1950, docteur d'État en histoire et en sociologie,
Benjamin Stora est professeur d'histoire du Maghreb à l'Inalco (Langues orientales, Paris).
Il a étudié le nationalisme algérien et établi les biographies de Messali Hadj (1978)
et de Ferhat Abbas (1995). Il a également publié, aux éditions La Découverte,
Histoire de la guerre d'Algérie (1991), *La Gangrène et l'Oubli, la mémoire
de la guerre d'Algérie* (1998) et *Imaginaires de guerre Algérie-Viêtnam* (2002).
Auteur de la série télévisée « Les années algériennes » (1991),
il a été le commissaire de l'exposition « Photographier la guerre d'Algérie »
à l'Hôtel de Sully en 2004, et son ouvrage *Les Trois Exils, Juifs d'Algérie*,
a été sélectionné pour le prix Renaudot Essais, en 2006.

*1er dépôt légal : avril 1997
Dépôt légal : avril 2008
Numéro d'édition : 158190
ISBN : 978-2-07-053404-3
Imprimé en France par Kapp*